*Essential Business French*

*essential*

# BUSINESS

## *French*

*C G Geoghegan & J Y Geoghegan*

*series editor • Crispin Geoghegan*

Hodder & Stoughton
LONDON SYDNEY AUCKLAND

*British Library Cataloguing in Publication Data*
Geoghegan, C.G.
  Essential business French. – Essential business
  phrasebooks)
  I. Title   II. Gonthier Geoghegan, J.Y.   III. Series
  448.3

  ISBN 0–340–56187–4

First published 1992

Typeset by Wearset, Boldon, Tyne and Wear
Printed in Great Britain for the educational publishing division of
Hodder & Stoughton Ltd, Mill Road, Dunton Green, Sevenoaks,
Kent by Clays Ltd, St. Ives plc

# Contents

The English core to this phrasebook series, the result of several years of work in foreign and British companies, has been designed for the travelling businessman or woman working in or with a foreign company and wishing to use key phrases even if they do not speak the foreign language perfectly.

The book will also be useful for second year students following business or business-related studies involving languages and it will prove a valuable support when they embark on a placement or a first job in a foreign country.

Each section gives a sequence of phrases for use in a certain activity or context. Where the user might want to continue to another, related topic, cross-references indicate other sources of phrases. For ease of use there is some repetition of phrases that could be useful in a number of possible situations.

The collections of phrases in the longer sections can be used as outline 'scripts' when preparing a specific activity (a meeting, a presentation, a telephone call).

The translation of spoken phrases is never easy. The challenge is greater when the writer wishes to offer phrases which can safely be used in a number of contexts. This series adopts an average mid-range spoken translation and avoids an over-relaxed or over-formal style. Business jargon tends to change rapidly and is sometimes restricted to a limited range of companies. There are some exceptions to this use of a 'neutral' tone, examples of which can be found in the sections **Apologies** and **Agreeing** amongst others. Phrases which are not in a neutral tone are marked as 'formal' or 'familiar'. As far as possible we have tried to offer foreign language phrases which the non-linguist will find easiest to use and modify as required, rather than the most 'elegant' and impressive phrases available.

# **Accepting,** accepter

**Ways of Accepting**

*enthusiastically*

> **That's a good idea!**
> Quelle bonne idée!
>
> **Willingly!**
> Bien volontiers!
>
> **Yes, all right**
> Oui, d'accord
>
> **Yes, why not?**
> Oui, pourquoi pas?

*gratefully*

> **That's very kind of you**
> C'est très gentil de votre part
>
> **I'd be very grateful if you could / would . . .**
> Je vous saurais gré de bien vouloir . . .

*reluctantly*

> **If you insist**
> Si vous voulez absolument
>
> **If I must**
> S'il le faut
>
> **If there is no other alternative**
> S'il n'y a pas d'autres moyens
>
> **Oh, all right**
> Bon, d'accord

# **Accidents,** accidents

Emergency Telephone Numbers

|  | France | Switzerland | Belgium |
|---|---|---|---|
| **FIRE** *le pompiers* | **18** | **118** | **900** |
| **AMBULANCE** *l'ambulance* | **17** | **117** | **900** |
| **POLICE** *la police* | **17** | **117** | **901** |

## **Asking for Help**

**Help!**
Au secours!

**Can you help me? I've just had an accident**
Est-ce que vous pouvez m'aider? Je viens d'avoir un accident

**Hello, is that . . . (the police)? I've had an accident at . . . on:**
Allô, c'est bien . . . (la police)? J'ai eu un accident à . . . sur:

- **the (R) N12**
- la (route) nationale douze

- **the A6 motorway**
- l'autoroute A6

- **the D 201**
- la D [*day*] deux cent un (la route départementale deux cent un)

**I'm hurt and I need help**
Je suis blessé et j'ai besoin d'aide

**There is somebody injured**
Quelqu'un est blessé

**My car / my lorry is badly damaged**
Ma voiture / mon camion est très endommagé(e)

**Someone in the other vehicle is hurt**
Quelqu'un de l'autre véhicule est blessé

**Can you send an ambulance / a police car?**
Pouvez-vous envoyer une ambulance, une voiture de police?

**Where can I find a telephone?**
Où est-ce que je peux téléphoner?

**Please can you tell me where I can find a doctor?**
Est-ce que vous pouvez me dire où je peux trouver un médecin s'il vous plaît?

**Where's the nearest garage?**
Où est le garage le plus proche?

## Apologising

**I'm sorry, are you all right?**
Je suis désolé, ça va?

**Are you hurt?**
Vous vous êtes fait mal?

**Can I help?**
Est-ce que je peux faire quelque chose?

## Exchanging Details

French drivers usually carry a standard accident declaration form for minor accidents. Each driver completes a copy of the form and countersigns the declarations (*le constat à l'amiable*). However, unless you are sure you understand all the details on the form, it is better to ask for help from the police. It is obligatory to inform the police of all major accidents.

**I'm insured with. . . Here are my policy numbers and the address of the insurance company**
Je suis assuré auprès de . . . Je vous donne mon numéro d'assurance et l'adresse des assureurs

**I have a green card, here it is**
J'ai la carte verte, la voici

**This is a hire car. It is covered by the hire company's insurance**
C'est une voiture de location. Elle est assurée par la société de location

**This is a company car**
C'est une voiture de fonction

**Can you give me the name of your insurers please?**
Est-ce que vous pouvez me donner le nom de votre compagnie d'assurance s'il vous plaît?

**Can you give me your name and address please?**
Est-ce que vous pouvez me donner votre nom et votre adresse s'il vous plaît?

**What is your policy number?**
Quel est votre numéro de police?

**Here are my name and address. My company is Gimex Ltd., and I'm staying at the Continent hotel**
Je vous donne mon nom et mon adresse. Je travaille pour la société Gimex Ltd et je suis à l'Hôtel Continent

## Reporting an Accident to the Police

**I've hit / I've been hit by . . .**
J'ai heurté / j'ai été heurté par . . .

**I've been in collision with / I've collided with . . .**
Ma voiture est entrée en collision avec . . .

**I've come to report an accident / I want to report an accident**
Je viens vous signaler un accident / je voudrais vous signaler un accident

**The registration number of my car is . . .**
Le numéro d'immatriculation de ma voiture est . . .

**Here are my driving licence and my green card**
Voici mon permis de conduire et ma carte verte

## Making New Arrangements

**I've been involved in an accident and I will have to change the time of our meeting**
J'ai été impliqué dans un accident et je vais devoir modifier l'heure de notre rendez-vous

**I'm afraid I won't be able to reach . . . in time for the meeting**
Je ne pourrais malheureusement pas arriver à . . . pour la réunion

**I'm calling to cancel my reservation, as I've had an accident. My name is . . .**
J'ai eu un accident et je vous appelle pour annuler la réservation que j'avais faite. Je m'appelle . . .

**Can you make my apologies for me?**
Est-ce que vous pouvez présenter des excuses de ma part?

**I will contact you later**
Je vous contacterai plus tard
*See also* **Arrangements**

# Accounts, états financiers

*see also Figures, Management Accounts*

---

This section is intended to give a range of useful basic
phrases and a few basic terms. Because of differences in
accountancy practice it is not possible to give accurate
translations for all terms used in balance sheets. The
English given in the balance sheet and profit and loss
tables below should be taken as an indication of meaning
rather than as an accurate translation.

---

## Key Terms

| | |
|---|---|
| **Turnover** | le chiffre d'affaires |
| **Net income** | le résultat net comptable |
| **Investments** | les investissements |
| **Employees** | les effectifs |
| **Cash flow (pre-tax)** | la marge brute d'autofinancement |
| **Net cash flow** | la marge nette d'autofinancement |
| **Working capital** | les fonds de roulement |
| **Margin** | la marge |
| **Payroll** | la masse salariale |
| **Profit** | le bénéfice |
| **Loss** | la perte |

## Key Terms in a French Balance Sheet, *le bilan*

| *Actif* <br> assets | *Passif* <br> liabilities |
|---|---|
| Actif immobilisé <br> *fixed assets* | Capitaux propres <br> *shareholders' equity / net worth* |
| Immobilisations incorporelles <br> *fixed intangible assets* | Impôts différés à plus d'un an <br> *taxes deferred for more than one year* |
| Immobilisations corporelles <br> *fixed tangible assets* | Provisions <br> *provisions / allowances* |
| Immobilisations financières <br> *fixed tangible financial assets* | Dettes <br> *liabilities* |
| Actif circulant <br> *current assets* | Emprunts et dettes assimilées <br> *borrowings and assimilated liabilities / debts* |
| Comptes de régularisation <br> *accruals* | Dettes d'exploitation <br> *trading liabilities* |
| | Dettes diverses hors exploitation <br> *other liabilities* |
| Total general <br> *sum total* | Total general <br> *sum total* |

## Key Terms in a French Profit and Loss Account, *le compte de résultats*

| | |
|---|---|
| Chiffre d'affaires net | *net turnover* |
| Produits d'exploitation | *trading revenue* |
| Charges d'exploitation | *operating costs* |
| Dotations aux amortissements et aux provisions | *provision for depreciation* |
| Résultat d'exploitation | *trading result* |
| Produits financiers | *revenue* |
| Charges financières | *financial charges* |
| Résultat financier | *profit* |
| Résultat courant avant impôts | *current result before tax* |
| Charges exceptionnelles | *extraordinary items* |
| Total des produits | *total revenue* |
| Total des charges | *total expenditure* |
| Bénéfice ou perte | *profit or loss* |

## Questions and Comments on a Set of Accounts

**The profit is low / high at £1.2m**
A £1.2 million le bénéfice est peu élevé / élevé

**The figure:**
Le chiffre:

- **is only ...**
- n'est que de ...

- **is high / low at ...**
- de ... est élevé / bas

- **has fallen to ...**
- est tombé à ...

- **has risen to ...**
- s'est élevé à ...

**The reason for the figure is ...**
La raison pour le chiffre est ...

**Why is the figure for ...:**
Pourquoi est-ce que le chiffre pour ...:

- **so low / so high?**
- est aussi bas / élevé?

- **only 3,000 / decreasing / increasing?**
- n'est que de 3 000 / baisse / augmente?

**What is the trend?**
Quelle est la tendance?

**The trend is upwards / downwards / stable**
La tendance est à la hausse / à la baisse / à la stabilité

**What does the entry for 'Project GANY' represent?**
Que représente la rubrique 'Project GANY'?

**Will you be attending the next shareholders' meeting?**
Est-ce que vous serez présent à la prochaine réunion des actionnaires?

**What did you enter under ... ?**
Qu'est-ce que vous avez porté sous la rubrique ...?

**We have used the following accounting policies ...**
Les règles comptables suivantes ont été appliquées ...

**The figure for ... includes ...**
Le chiffre de ... comprend ...

**Our trading year / accounting year finishes on . . .**
Notre exercice commercial / exercice comptable se
termine le . . .

**The company ceased trading on . . .**
La société a cessé toute activité le . . .

**In our country the tax year starts on . . .**
Dans notre pays l'année fiscale commence le . . .

**I see that the book value of your brand names is given
as 435,600 FF. How did you calculate that?**
Je vois que vous citez la valeur comptable des marques à
435 600 FF. Comment est-ce que vous l'avez calculée?

**What is the basis of the calculation for depreciation?**
Sur quelle base est-ce que vous calculez la dépréciation?

**Dividend cover is very good**
Le rapport entre le bénéfice net et le dividende est
excellent

**Dividend yield is healthy**
Le rendement de l'action est intéressant

**Gearing is high / low**
L'effet de levier est fort / faible

**Present market capitalisation is 3,465,832 FF**
La capitalisation (le nombre d'actions multiplié par leur
valeur) donne 3 465 832 FF

**Net tangible assets are shown as £300,748**
L'actif incorporel s'établit à £300 748

**Price earnings ratio is high but we expect . . .**
Le rapport cours / bénéfice est élevé mais nous nous
attendons à ce que . . .

**Here is the balance sheet for 19—**
Voici le bilan pour l'exercice 19—

**The balance sheet shows . . .**
Le bilan indique que . . .

**Following revaluation, the value of fixed assets has been revised to . . .**
Suite à une nouvelle estimation, la valeur des immobilisations a été portée à . . .

**We have taken a shareholding in . . . Plc**
Nous avons pris une participation dans la société . . . Plc

**Current assets include a considerable amount of unsold goods**
Dans l'actif figure une quantité considérable de marchandises invendues

**Current liabilities include . . .**
Les dettes à court terme comprennent . . .

**We have made provision for . . .**
Nous avons fait une provision pour . . .

**The amount shown for fixed capital has increased considerably**
Le chiffre déclaré pour le capital fixe a augmenté considérablement

**The value of raw materials has gone down due to the introduction of just in time methods**
La valeur des matières premières a baissé suite à l'introduction des méthodes du 'juste à temps'

**Current assets have gone down and current liabilities have increased**
L'actif circulant a baissé et les dettes à court terme ont augmenté

**They are converting long term loans to loans on a shorter term basis**
Ils convertissent des prêts à long terme en prêts à terme plus court

**Expenditure on . . . has been treated as a charge against revenue for the current year**
Les dépenses de . . . sont déduites des bénéfices de l'année en cours

**The amount shown for . . . has been arrived at by taking . . . as a basis**
Le total représentant . . . a été obtenu en prenant pour base . . .

**The company appears to be undercapitalised**
Il semblerait que la société manque de capitaux

**What does . . . represent?**
Qu'est-ce que . . . représente?

**How did you calculate the value of . . .?**
Comment avez-vous calculé la valeur de . . .?

**What is this item?**
Qu'est-ce qui a été porté ici?

**How is this figure made up?**
Comment a-t-on obtenu ce chiffre?

**Why is . . . so low / high?**
Pourquoi . . . est-il si bas / élevé?

**Why have you had to make so much provision for bad debts this year?**
Pourquoi est-ce que vous avez pris une telle provision pour créances douteuses cette année?

**The company appears to be very exposed**
La société semble très fragile

**Does the figure for . . . include . . .?**
Est-ce que le chiffre de . . . comprend . . .?

**What accounting method did you use for . . .?**
Quelle méthode comptable avez-vous employée
pour . . .?

**What do the 'frais d'établissement' represent?**
Que recouvre la rubrique 'frais d'établissement'?

**The cost of launching the new venture has been
calculated at . . . FF and depreciated over a period of 5
years**
Les frais de lancement de la nouvelle opération ont été
capitalisés . . . FF et amortis sur cinq ans

**The operating profit has increased less than the
operating costs**
Le produit d'exploitation a progressé moins que les
charges d'exploitation

# Advising, donner des conseils

## Advising Someone to do Something

**I think you should go and see . . .**
Je crois que vous devriez aller voir . . .

**If I were you I would try to . . .**
Si j'étais vous j'essaierais de . . .

**I think you should contact . . .**
Je crois que vous devriez contacter . . .

**Yes, I think it would be a good idea if you could . . .**
Oui, ce serait une bonne idée si vous pouviez . . .

**In your place I'd write to . . .**
A votre place j'écrirais à . . .

**I would advise you to postpone it**
Je vous conseillerais de le / la reporter

**You'd better talk to him**
Il vaudrait mieux que vous lui parliez

**You'd be better off speaking to . . . about it (*more familiar*)**
Vous feriez mieux d'en parler à . . . (*more familiar*)

**I'd suggest that you try . . . (the central agency)**
Je suggérerais que vous vous adressiez à . . . (l'agence centrale)

**I think that you must make a formal report**
Je pense que vous devez rédiger un rapport officiel

**I think that you're obliged to . . .**
Je crois que vous êtes obligé de . . .

**I think that you have no alternative**
Je ne crois pas que vous puissiez faire autrement

**Have you tried telephoning / writing to . . .?**
Est-ce que vous avez essayé de téléphoner à . . . / écrire
à . . .?

## Advising Someone Against doing Something

**Oh no, you mustn't do that**
Non, il ne faut pas que vous fassiez ça

**No, I wouldn't do that if I were you**
Non, je ne ferais pas ça si j'étais vous

**I don't think that would be a good idea**
Je ne crois pas que ce soit une bonne idée

**I don't think that that would be advisable**
Je ne le recommanderais pas

# Agreeing, Approving, être
## d'accord, donner son accord

### Agreeing with Someone

**Yes, I agree**
Oui, je suis d'accord

**You're right**
Vous avez raison

**You're absolutely right**
Vous avez tout à fait raison

**That's what I think too**
C'est ce que je pense aussi

**Exactly**
Exactement

**Absolutely**
Tout à fait

**Exactly right / That's it exactly**
C'est tout à fait ça

**Yes, that's the situation**
Oui, c'est cela même

**I suppose you must be right**
Vous devez avoir raison, je crois

**Yes, that's a good idea**
Oui, c'est une bonne idée

**I'll support you on that**
Je suis avec vous là-dessus

**I couldn't agree more**
Je suis absolument de votre avis

**I think that we're basically in agreement**
Je crois que nous sommes d'accord sur le fond

## Agreeing to Something

**Yes, all right**
Oui, d'accord

**If you must**
Si vous devez absolument le faire

**Fine!**
Bien!

**Do that**
Oui, faites

**If you think that's the best solution**
Si vous croyez que c'est la meilleure solution

**Yes, I think you should do that**
Oui, je pense que vous devriez le faire

**Yes, you can**
Oui, vous pouvez

**I agree**
Je suis d'accord

**That'll be fine**
Ça ira

**Go ahead**
Allez-y

**Please do**
Faites, je vous en prie

**No, I don't mind**
Non, cela ne me dérange pas

# **Alternatives,** alternatives

*see also Negotiations*

## Offering Alternatives

**Would you prefer . . . instead of . . .?**
Voudriez-vous . . . plutôt que . . .?

**Perhaps you would like to . . . instead?**
Vous préféreriez peut-être . . .?

**Would it be better to . . . or to . . .?**
Est-ce qu'il serait préférable de . . . ou de . . .?

**There are only two possibilities: one is to . . ., the other is to . . .**
Il n'y a que deux possibilités: ou bien . . ., ou alors . . .

**Which of the alternatives would you prefer?**
Quelle solution préférez-vous?

**Would you like to . . . or . . .?**
Voudriez-vous . . . ou bien . . .?

**Should we . . . (or should we . . .)?**
Devrions nous . . . (ou bien . . .)?

**Another solution would be to . . .**
L'autre solution serait de . . .

**We have to choose between . . . and . . .**
Nous devons choisir entre . . . et . . .

**There are a number of options**
Il y a plusieurs possibilités

# Apologising, s'excuser

*see also Complaining*

## General Apologies

**I'm sorry / I'm sorry I'm late**
Je suis désolé / Je suis désolé d'être en retard

**Sorry about that**
Désolé

**My mistake, sorry**
C'est ma faute, excusez-moi

**I do apologise**
Je vous prie de m'excuser

**I'm very sorry**
Je suis vraiment désolé

**I hope you will accept my apologies**
Vous voudrez bien m'excuser

**It was my fault, I'm sorry**
C'est moi qui suis responsable, je suis désolé

**I can assure you it won't happen again**
Je vous garantis que cela ne se répétera pas

**I must apologise for the mistake**
Je vous présente mes excuses pour l'erreur

## Apologising to a Customer

**The mistake was on our side and we apologise**
C'est nous qui sommes responsables et je vous prie de
nous excuser

**I must apologise for the delay, there were problems**
Je vous prie d'excuser ce retard mais il y a eu des
problèmes

**I'm sorry it's taken so long**
Je suis désolé que cela ait demandé si longtemps

**I can assure you that it's the first time this has
happened**
Je vous assure que c'est la première fois que cela arrive

**We are doing everything we can to solve the problem**
Nous faisons tout ce que nous pouvons pour résoudre le
problème

**We are looking into your complaint**
Nous sommes en train d'examiner votre réclamation

**We are afraid that we can't accept liability for damage
during transport**
Malheureusement, nous n'acceptons aucune
responsabilité pour les dégâts qui se produisent en cours
de transport

**. . . but we've referred your complaint to the transport
company**
. . . mais nous avons transmis votre réclamation à la
société de transport

**We have arranged for a replacement / for the goods you
did order to be sent to you immediately**
Nous avons pris les dispositions nécessaires pour que
l'article de remplacement / les articles que vous aviez
commandé(s) vous soit / soient envoyé(s)
immédiatement

**I have asked our sales engineer to call in to discuss the problem as soon as possible. She will be contacting you shortly**
J'ai demandé à notre ingénieur commercial de vous rendre visite pour discuter de ce problème aussitôt que possible. Elle prendra contact avec vous sous peu

**We would like to offer to replace the goods / to repair the machine free of charge**
Nous vous proposons de remplacer les articles / de réparer gratuitement la machine

**I'm afraid that the problem lies with the transporter and we have contacted them on your behalf**
Malheureusement, c'est du ressort du transporteur; nous l'avons contacté de votre part

**I'm sorry for any inconvenience this may have caused**
Je suis désolé pour le dérangement que cela a pu vous causer

**I hope you will understand that we are doing our best to rectify the situation**
Croyez-bien que nous faisons de notre mieux pour rectifier la situation

**It won't happen again**
Cela ne se répétera pas

**Please accept my apologies on behalf of the company**
Je vous présente mes excuses au nom de la société

**We are proud of our service / the quality of our products and are very sorry that this has happened**
Nous avons confiance en notre service / dans la qualité de nos produits et nous sommes désolés pour ce qui est arrivé

**We are continually improving the quality of . . . and are very grateful that you brought this to our notice**
Nous améliorons sans cesse la qualité de . . . et nous vous remercions de nous avoir signalé . . .

**We are sorry that you are not satisfied**
Nous sommes désolés de ne pas vous avoir donné satisfaction

**If you do have any further problems contact me at once, and I shall deal with them personally. My name is Helen Sewill**
Si vous avez vraiment d'autres problèmes, contactez-moi tout de suite et je m'en occuperai personnellement. Je m'appelle Helen Sewill

## Accepting an Apology

**It doesn't matter**
Ce n'est rien / ce n'est pas grave

**Don't mention it**
Je vous en prie

**That's OK**
Ça va

**I quite understand**
Je comprends tout à fait

**Don't worry about it**
Ne vous inquiétez pas

**In the circumstances I am prepared to accept your apology**
Vu les circonstances je vous excuse

**Please don't let it happen again**
Mais veillez à ce que cela ne se répète pas

**I don't think that's good enough**
Ce n'est pas suffisant

# Appointments, rendez-vous

*see also Arrangements, Meetings, Telephoning*

## Making the Appointment

*over the phone*

**Good morning / afternoon, this is Mr . . . from XYZ Plc, could I speak to Mr . . . please?**
Bonjour Madame. Ici Monsieur . . . de la société XYZ, voulez-vous me passer Monsieur . . . s'il vous plaît?

**I wish to make an appointment with Ms . . .**
Je voudrais prendre rendez-vous avec Madame . . .

**Mr / Ms . . . wrote to me recently about . . . and now I'd like to make an appointment with him / her to discuss the matter in more detail**
M / Mme . . . m'a écrit il y a peu au sujet de . . . et je voudrais prendre rendez-vous avec lui / elle pour discuter de cette affaire dans le détail

**I met Ms . . . at . . . some time ago and she suggested that I should see her next time I was in . . .**
J'ai rencontré Madame . . . à . . . il y a quelque temps et elle m'a proposé de venir la voir la prochaine fois que je me trouverais à . . .

**Can you hold please, I'll look at his / her diary**
Ne quittez pas s'il vous plaît, je vais consulter son agenda

**Can you hold please, I'll see when they're free**
Ne quittez pas s'il vous plaît, je vais voir à quel moment ils sont libres

**He is free on Tuesday 8 December at 2 pm. Would that be suitable?**
Il est libre le mardi huit décembre à quatorze heures. Est-ce que cela vous convient?

**Do you know where I could contact him?**
Est-ce que vous savez où je pourrais le joindre?

**Is he on a mobile phone? Has he got a car phone?**
Est-ce qu'il a un téléphone pour personnes en
déplacement? Est-ce qu'il a un téléphone de voiture?

### *with the client*

**I was interested to read / see . . . and would like to
discuss it in further detail with you**
C'est avec intérêt que j'ai lu / vu . . . et je voudrais en
discuter davantage avec vous

**My company is very active in . . . (distribution) and I
believe it would be mutually beneficial for us to meet**
Ma société est engagée dans . . . (la distribution) et je
crois qu'une rencontre serait intéressante pour l'un
comme pour l'autre

**I have a new product which I think will be of interest to
you**
J'ai un nouveau produit qui pourrait peut-être vous
intéresser

**Would you have any free time on . . .?**
Est-ce que vous auriez un moment libre le . . .?

**When would be a suitable time to come and see you?**
Quand cela conviendrait-il que je vienne vous voir?

**Where do you suggest we meet?**
Où proposez-vous que nous nous rencontrions?

**I have a pretty full diary for that date but I could meet
you on the . . . at . . .**
Mon agenda est chargé à cette date mais je pourrais vous
voir le . . . à . . .

**Can I suggest that we meet on . . . at . . .?**
Est-ce que je peux vous proposer un rendez-vous le . . .
à . . .?

**Could you come to my hotel?**
Est-ce que vous pourriez venir à mon hôtel?

**It would be best if we met at . . .**
Il serait préférable de nous voir à . . .

**I'll fax through a location map to help you find us**
Je vais vous télécopier un plan qui vous aidera à nous
trouver

**Shall we say 3 November at 10 am at my office?**
Disons le trois novembre à dix heures à mon bureau?

**Would you like to discuss it over lunch / a drink?**
Voulez-vous que nous en discutions au cours d'un
déjeuner / à l'apéritif?

## Cancelling an Appointment

*the original appointment*

**I'd arranged to meet you on 6 June at 3 pm**
J'avais pris rendez-vous avec vous le six juin à quinze
heures

**Ms T . . . is expecting me at 11 o'clock**
Madame T . . . m'attend à onze heures

**I expected to be in Paris on 6 June**
Je devais me trouver à Paris le six juin

*the apology*

**Unfortunately, I'm going to have to cancel our appointment**
Malheureusement je vais devoir annuler notre rendez-vous

**I'm afraid that won't be possible**
Ce ne sera malheureusement pas possible

**I'm sorry that we won't be able to meet as arranged**
Nous ne pourrons malheureusement pas nous voir comme prévu

**I'm sorry that I won't be able to keep our appointment**
Je suis désolé de ne pas pouvoir me rendre à notre rendez-vous

*the reason*

**I'm afraid I won't be free then**
Je ne serai malheureusement pas libre à cette date

**I've had to cancel all my appointments to deal with an important matter at the factory / in the office**
J'ai dû annuler tous mes rendez-vous pour régler un problème urgent à l'usine / au bureau

**Mr / Ms X is ill / has had an accident and will not be fit to travel for some time**
M / Mme X est malade / a eu un accident et ne pourra pas voyager pendant quelque temps

**My car has broken down**
Ma voiture est tombée en panne

**My flight has been delayed**
Mon vol a été retardé

**I don't expect to arrive in Paris until 2 pm**
Je ne compte pas arriver à Paris avant quatorze heures

**I've had an accident and will be delayed / and I won't be able to get to Paris for the appointment**
J'ai eu un accident et je serai en retard / et je ne pourrai pas être au rendez-vous à Paris

## Changing an Appointment

**We had originally agreed to meet in your office on . . .**
Nous avions convenu de nous voir à votre bureau le . . .

**Recently I wrote to you confirming an appointment on . . .**
Je vous ai écrit récemment pour vous confirmer un rendez-vous le . . .

**I'm afraid I won't be able to meet you then**
Je ne pourrais malheureusement pas vous voir à cette date

**Would it be possible to change the appointment to 5 January?**
Est-ce qu'il serait possible de changer la date du rendez-vous pour le cinq janvier?

**Could we put off our meeting to a later date?**
Est-ce qu'il serait possible de changer la date du rendez-vous pour une date ultérieure?

**I wondered whether Mr / Ms Delay would be free on 5 January instead of the 2nd?**
Je voudrais savoir si Monsieur / Madame Delay serait libre le cinq janvier au lieu du deux?

**I do apologise / I am sorry about this**
Vous voudrez bien m'excuser

## Confirming an Appointment

**I'm calling to confirm my appointment with Ms Delay**
Je vous appelle pour vous confimer mon rendez-vous
avec Madame Delay

**I just wanted to confirm the date / time of our meeting**
Je veux simplement vous confirmer la date / l'heure de
notre rendez-vous

**Will you confirm by letter / fax?**
Est-ce que vous nous confirmerez par écrit / télécopie?

**Could you give my secretary a ring to confirm the
appointment / meeting?**
Est-ce que vous pourriez appeler ma secrétaire pour
nous confirmer le rendez-vous / la réunion?

**I will give your secretary a ring to confirm the date and
time of the meeting**
J'appellerai votre secrétaire pour vous confirmer la date
et l'heure de la réunion

**So that's 15 February at your office in Tours**
Nous disons donc le quinze février à votre bureau de
Tours

**I look forward to meeting you then**
Je vous verrai donc à cette date

**Until the 14th then, goodbye**
Au quatorze alors, au revoir Monsieur / Madame

## Arriving for an Appointment

**Good morning / afternoon, my name is Peters**
Bonjour Monsieur / Madame, je suis Monsieur /
Madame Peters

**I have an appointment with . . . at . . .**
J'ai rendez-vous avec . . . à . . .

**Good morning / afternoon, Mr / Ms Delay is expecting me**
Bonjour, Monsieur / Madame Delay m'attend

**Could you tell me where I could find Mr / Ms Delay? I have an appointment with him / her at . . .**
Pouvez-vous me dire où je pourrais trouver Monsieur / Madame Delay? J'ai rendez-vous avec lui / elle à . . .
*See also* **Directions, Introductions, Meeting Visitors**

**Good morning / afternoon, you must be Mr / Ms Delay. I'm Mike Soames – we spoke on the phone some time ago**
Bonjour, Monsieur / Madame Delay peut-être? Mike Soames, nous nous sommes téléphoné il y a quelque temps

**Am I speaking to Mr Delay?**
C'est bien à Monsieur Delay que je parle?

**Good morning / afternoon / (Mr / Ms . . .), it is good of you to see me**
Bonjour (Monsieur / Madame . . .), merci de me recevoir

**I'm pleased to meet you, Mr / Ms . . .**
Je suis enchanté de vous rencontrer, Monsieur / Madame . . .

**Mike Soames, from General Logistics**
Mike Soames, de la société General Logistics

**How do you do?**
Enchanté

**I'm sorry I'm a little late**
Je suis désolé d'être un peu en retard

**... the traffic was heavy**
... il y avait beaucoup de circulation

**... I had trouble finding you**
... j'ai eu du mal à trouver l'adresse

**... my flight was delayed**
... mon vol a été retardé

**... I had an accident**
... j'ai eu un accident

**... my car broke down**
... ma voiture est tombée en panne

## Arranging a Further Appointment

**It would be worthwhile meeting in a few months**
Il serait intéressant de nous revoir dans quelques mois

**Perhaps we could fix a date for another meeting now?**
Nous pourrions peut-être arrêter la date de la prochaine
réunion tout de suite?

## Leaving

**I think our meeting was very worthwhile / profitable**
Je crois que notre entretien a été très utile / fructueux

**Thank you for sparing me some time**
Je vous remercie de m'avoir accordé un moment

**I'll send you a letter confirming the points we discussed**
Je vous enverrai une lettre en confirmation des points dont nous avons discuté

**I look forward to meeting you again**
Au plaisir de vous revoir

## Following Up after an Appointment

**Hello Mr / Ms X, this is Richard Gill. Did you have a good trip back?**
Allô Monsieur / Madame X, ici Richard Gill. Avez-vous fait bon voyage?

**I just wanted to thank you for sparing me some time the other day**
Je veux simplement vous remercier de m'avoir accordé un moment l'autre jour

**I just wanted to let you know that I have the information / documents we discussed. I will be sending them to you today**
Je veux simplement vous informer que je possède les renseignements / documents dont nous avions parlé. Je vous les envoie aujourd'hui

**I'm looking into the points we discussed and I hope to be able to let you have some information shortly**
Je suis en train d'étudier les points dont nous avons discuté; j'espère pouvoir vous donner des renseignements sous peu

**I found your ideas very interesting**
Vos idées m'ont beaucoup intéressé(e)

**I'll contact you again when I have more information**
Je vous contacterai à nouveau quand j'aurai d'autres renseignements

# Arrangements, Plans,

## arrangements, projets

*see also Appointments, Booking, Hotels, Meetings, Travel*

### Making Arrangements

**I plan to . . .**
J'envisage de . . .

**We intend to . . .**
Nous avons l'intention de . . .

**We're making arrangements for a meeting on the 12th**
Nous sommes en train d'organiser une réunion pour le douze

**I'd like to arrange for a delivery to . . .**
Serait-il possible d'arranger une livraison à . . .?

### Modifying Arrangements

**Can I change the arrangements for . . .?**
Est-ce que je peux changer les dispositions prises pour . . .?

**I'd like to modify the arrangements for . . .**
Je voudrais modifier les dispositions prises pour . . .

**I'm going to have to change the arrangements for . . .**
Je vais devoir modifier les dispositions prises pour . . .

**It would be easier for me if . . .**
Ce serait plus facile pour moi si . . .

**Would you like to change the arrangements?**
Est-ce que vous voulez modifier les dispositions?

**I was scheduled to . . .**
Je devais . . .

**Do you mind if we put off the date of the meeting?**
Cela vous dérangerait-il que nous reculions la date de la réunion?

**I want to postpone the meeting we'd arranged**
Je voudrais reporter la réunion que nous avions organisée

**Can we cancel the meeting we'd arranged for . . .?**
Est-ce que nous pouvons annuler la réunion que nous avions organisée pour le . . .?

**I'm afraid I've had to put off my trip to . . . (place)**
J'ai malheureusement dû reporter mon voyage à . . . (lieu)

**I'd prefer to . . .**
Je préférerais . . .

## Cancelling Arrangements

**I'm afraid I'll have to cancel our plans**
Je vais devoir malheureusement annuler notre projet

**We'll have to drop the plan / the arrangements**
Nous allons devoir abandonner le projet / les dispositions

**We won't be able to meet as planned**
Nous ne pourrons pas nous rencontrer comme prévu

## Confirming Arrangements

**Can I just confirm the arrangements for . . .**
Je voudrais simplement confirmer les dispositions qui
ont été prises pour . . .

**I would like to check the plans for . . .**
Je voudrais vérifier que tout est en ordre pour . . .

**Can you confirm that the arrangements still stand?**
Pouvez-vous me dire si les dispositions tiennent
toujours?

**Is everything all right for our meeting on the 12th?**
Est-ce que ça va toujours pour le douze?

**Are you going ahead with the visit to . . . as planned?**
Est-ce que vous envisagez toujours de vous rendre à . . .
comme prévu?

**Is the meeting still going to take place as arranged?**
Est-ce que la réunion aura lieu comme prévu?

**Will I still be able to see you at the trade fair on the
12th?**
Alors, est-ce que je pourrais toujours vous voir à la foire
commerciale le douze?

# Banks, banques

*see also Figures*

## Personal Banking

**Could I see the manager please?**
Est-ce que je pourrais voir le directeur s'il vous plaît?

**I would like to open an account – can you give me a form please?**
Je voudrais ouvrir un compte – est-ce que vous pouvez me donner un formulaire s'il vous plaît?

**Here is proof of my identity (and my address)**
Voici une pièce d'identité (et mon adresse)

**I will be receiving regular credit transfers from . . . (my account in England)**
Je recevrai régulièrement des virements de . . . (mon compte en Angleterre)

**I wish to deposit . . . to open the account**
Je voudrais verser . . . pour ouvrir le compte

**What are the number of my account and the code number of this branch?**
Quel est mon numéro de compte et le numéro de cette succursale-ci?

**Do you have a list of the addresses of your other branches please?**
Est-ce que vous avez la liste des adresses des autres succursales s'il vous plaît?

**Do you have a branch in . . .?**
Est-ce que vous avez une succursale à . . .?

**Do you have the addresses of your cash dispensers in France please?**
Est-ce que vous avez les adresses des autres distributeurs de billets (guichets automatiques) en France s'il vous plaît?

**I wish to transfer some money from this account to my account in Britain**
Je voudrais virer de l'argent de ce compte sur mon compte en Grande-Bretagne

**I've arranged for some money to be transferred to my account here from my account in Britain**
J'ai fait le nécessaire pour virer de l'argent de mon compte en Grande-Bretagne sur ce compte

**Can you tell me whether it has arrived yet please?**
Est-ce que vous pouvez me dire si c'est arrivé, s'il vous plaît?

**I'd like to order a new cheque book please**
Je voudrais commander un nouveau carnet de chèques s'il vous plaît

**Can I have the balance of my account please?**
Est-ce que je peux avoir le solde de mon compte s'il vous plaît?

**Can I have a statement please?**
Est-ce que je peux avoir un relevé s'il vous plaît?

**I would like to withdraw some money please**
Je voudrais retirer de l'argent en espèces s'il vous plaît

**I would like to transfer some money**
Je voudrais faire un virement

**Can I cash this cheque please?**
Je voudrais encaisser ce chèque s'il vous plaît

**My account number is . . .**
Mon numéro de compte est le . . .
*See also* **Figures**

**It's in the name of . . .**
C'est au nom de . . .

**I'd like the money in small / large denomination notes**
Je voudrais l'argent en petites / grosses coupures

**Can you give me some coins as well please?**
Pouvez vous me donner aussi des pièces s'il vous plaît?

**I'd like to order some travellers' cheques please**
Je voudrais commander des chèques de voyage s'il vous plaît

**How long will it be before my cheque book is ready?**
Combien de temps faudra-t-il pour que mon chéquier soit prêt?

**Can I have a cheque guarantee card?**
Est-ce que je peux avoir une carte de chèques s'il vous plaît?

**I'd like to change some pounds please. What is the rate today?**
Je voudrais changer des livres sterling. Quel est le taux aujourd'hui?

## Business Banking

**I expect to be in this area for some weeks and want to arrange for money to be transferred here for me**
Je devrais rester quelques semaines dans la région et je voudrais faire le nécessaire pour faire virer de l'argent ici

**My company is setting up a distribution centre in the region and I want to arrange for a company account to be held here**
Ma société est en train d'établir un centre de distribution dans la région et je voudrais domicilier ici le compte de la société

**We will be transferring money from our headquarters in Blackpool regularly**
Nous virerons régulièrement de l'argent de notre siège social à Blackpool

**Cheques will be signed by our local manager and by our accountant. I have specimen signatures**
Les chèques seront signés par notre directeur régional et par notre comptable. J'ai ici des exemplaires de leurs signatures

# Booking, réserver

*see also Appointments, Arrangements,*
*Exhibitions, Hotels, Restaurants, Travel*

## Booking a Room for a Conference / Meeting

**Do you have a conference room free on . . .?**
Est-ce que vous avez une salle de conférence libre le . . .?

**How many people does your conference room seat?**
Combien de personnes votre salle de conférence peut-elle accueillir?

**Would you have a room suitable for a meeting?**
Auriez-vous une salle pouvant servir à une conférence?

**We'd need the room for the whole day**
Nous aurions besoin de la salle toute la journée

**We'd require the room from 5 pm to 10 pm**
Nous voudrions la salle de dix-sept à vingt-deux heures

**What facilities does your conference centre provide?**
Quelles sont les prestations offertes par votre centre de conférences?

**Can you provide tea / coffee and soft drinks for 30 delegates?**
Est-ce que vous pouvez servir le thé / café et des boissons non alcoolisées pour trente participants?

**We'd require an OHP and a flipchart**
Nous aurions besoin d'un rétroprojecteur et d'un tableau à feuilles mobiles

**Do you have a video player and a monitor?**
Est-ce que vous avez un magnétoscope et un moniteur?

**We'd also require a light lunch / buffet for 19 at about
1 pm**
Nous voudrions également un repas léger / un buffet
pour dix-neuf personnes, vers treize heures

**What would the total charge for the room be?**
Tout compris, à combien s'élèverait la location de la
salle?

**Does the charge include refreshments?**
Est-ce que les boissons sont comprises dans le prix?

**What would the charge for the room be per head?**
A combien la salle reviendrait-elle par personne?

## Booking a Table in a Restaurant

**Are you open on Mondays?**
Est-ce que vous êtes ouvert le lundi?

**The reservation would be for lunch on 23 June**
La réservation serait pour un déjeuner le vingt-trois juin

**I'd like to reserve a table for 4 people for the evening of
23 June please**
Je voudrais réserver une table pour quatre personnes
pour la soirée du vingt-trois juin s'il vous plaît

**We'd be arriving at about . . . (9 pm)**
Nous arriverions vers . . . (vingt et une heures)

**The name is . . .**
C'est au nom de . . .

**I'll spell it for you**
Je vous l'épelle
*See also* **Restaurants**

## Booking a Hotel

**Is that the Continent Hotel?**
Est-ce bien l'Hôtel Continent?

**I'd like to book a room**
Je voudrais réserver une chambre

**Have you any rooms free on 4 July?**
Est-ce que vous avez des chambres libres le quatre juillet?

**What are your rates?**
Quels sont vos tarifs?

**I'd like a room with double bed and bath**
Je voudrais une chambre double avec bain

**The booking would be for 3 nights from 23 to 25 October**
Ce serait pour les trois nuits du vingt-trois au vingt-cinq octobre

**I'd prefer a room with a shower**
J'aimerais mieux une chambre avec douche

**The booking is in the name of . . .**
La réservation est au nom de . . .

**I'll be arriving late, about 11 pm**
J'arriverai tard dans la soirée, vers vingt-trois heures

**Will you hold the reservation please?**
Voulez-vous maintenir la réservation s'il vous plaît?

**I'll fax you / telex you confirmation today**
Je vous confirme par télécopie / par télex aujourd'hui

**Can you give me your fax number / your telex number please?**
Pouvez-vous me donner votre numéro de télécopie / de télex s'il vous plaît?
*See also* **Hotels**

## Booking a Taxi

**Hello? I'd like to book a taxi please**
Allô? Je voudrais demander un taxi s'il vous plaît

**Can you book me a taxi please?**
Est-ce que vous pouvez me demander un taxi s'il vous plaît?

**I need a taxi at 5 pm / at once please**
Je voudrais un taxi à dix-sept heures / immédiatement s'il vous plaît

**It's to take me to the airport at . . . (place)**
C'est pour aller à l'aéroport de . . . (lieu)

**The name is . . .**
C'est au nom de . . .

**I'm at the Olympus Hotel**
Je suis à l'Hôtel Olympus

**I'll want picking up at 6 pm**
Je voudrais qu'on me prenne à dix-huit heures

**Can you pick me up at 9 am please?**
Est-ce que vous pouvez me prendre à neuf heures s'il vous plaît?

## Booking Theatre, Concert Seats

**Do you have any seats left for . . .?**
Est-ce qu'il vous reste des places pour . . .?

**I'd like to book a seat / seats for the show / the concert
on the . . .**
Je voudrais réserver une place / des places pour le
spectacle / le concert du . . .

**What seats are available?**
Quelles sont les places disponibles?

**Can you show me where they are on the plan?**
Pouvez-vous me les montrer sur le plan?

**How much are they?**
A combien sont-elles?

**I'd like to book two please**
Je voudrais en réserver deux s'il vous plaît

**Do you accept payment by credit card?**
Est-ce que vous acceptez le réglement par carte de
crédit?

**Which cards do you accept?**
Quelles cartes acceptez-vous?

**Can you put it on my bill please?**
Est-ce que vous pouvez l'ajouter à mon compte s'il vous
plaît?

## Booking Plane, Train Seats

*See* **Travel**

## Modifying a Booking

**I'd like to change the booking I'd made for 20 March**
Je voudrais modifier ma réservation pour le vingt mars

**The booking was made in the name of . . .**
La réservation est au nom de . . .

**Could I change the booking to (5 pm on 7 May) please?**
Est-ce que je pourrais réserver pour (le cinq mai à dix-sept heures) à la place, s'il vous plaît?

**We'll be arriving earlier than planned**
Nous arriverons plus tôt que prévu

**There will be 6 of us instead of 4**
Nous serons six au lieu de quatre

**We'll require the room for the whole day instead of just the morning**
Nous aurons besoin de la salle pour toute la journée au lieu de la matinée seulement

**I'd like a double room instead of a single**
Je voudrais une chambre double au lieu d'une chambre simple

**I'd like the taxi at 4 pm instead of 3 pm**
Je voudrais que le taxi me prenne à seize heures au lieu de quinze heures

## Cancelling a Booking

**I'm afraid I will have to cancel the booking I made for . . .**
Je vais malheureusement devoir annuler ma réservation pour . . .

**Can you cancel the booking I made for . . .?**
Est-ce que vous pouvez annuler ma réservation
pour . . .?
*See also* **Cancelling**

## Confirming a Booking

**I want to confirm the booking I made for . . .**
Je voudrais confirmer ma réservation pour . . .

**I'm just checking that you have a booking in the name
of . . .**
Je voudrais simplement savoir si vous avez bien une
réservation au nom de . . .

# Cancelling, annuler

*see also Appointments, Arrangements, Booking, Hotels, Meetings, Restaurants, Travel*

**I want to cancel my appointment with Mr Palot**
Je voudrais annuler le rendez-vous que j'avais avec
Monsieur Palot

**I'm ringing to cancel the room I booked for . . .**
Je vous appelle pour annuler la réservation de la
chambre que j'avais faite pour . . .

**I want to cancel the seat I booked on flight number . . .**
Je voudrais annuler mon billet pour le vol numéro . . .

**I'm afraid I must cancel . . .**
Je dois malheureusement annuler . . .

**I want to cancel the taxi I booked for . . .**
Je dois annuler le taxi que j'avais demandé pour . . .

**Can I cancel the table I booked for this evening?**
Est-ce que je peux annuler la réservation de la table
pour ce soir?

**I'm afraid I have to cancel our meeting / appointment:**
Je dois malheureusement annuler notre réunion /
rendez-vous:

- **something has come up**
- il y a un empêchement

- **I'm ill / I've had an accident**
- je suis malade / j'ai eu un accident

**Do you mind if I cancel our meeting?**
Est-ce que cela vous ennuierait si j'annulais notre
réunion?

# Complaining, réclamations

*see also Hotels, Restaurants*

## General Complaints

**I want to make a complaint**
Je voudrais faire une réclamation

**I want to see the manager, I have a complaint to make**
Je voudrais voir le directeur pour faire une réclamation

**I'm not satisfied with . . .**
Je ne suis pas satisfait de . . .

**This is not good enough**
Ce n'est pas acceptable

**I think you owe me an apology**
Je crois que vous me devez des excuses

**I want a refund**
J'exige le remboursement

## Complaining about an Order / a Delivery

**I have a complaint about the recent delivery we had from you**
J'ai une réclamation à faire au sujet de la livraison que nous venons de recevoir

**We have a problem with order number 4849 / E5**
Nous avons un problème avec la commande N° 4849 / E5

**We've only received part of the order**
Nous n'avons reçu qu'une partie de la commande

**We have been sent . . . in error**
On nous a envoyé . . . par erreur

**The colour is wrong**
Ce n'est pas la couleur demandée

**There are some items missing from the order**
Certains articles manquent à la commande

**The contents of some of the boxes are damaged**
Le contenu de certaines boîtes est endommagé

**We wondered why we hadn't received the goods we ordered yet**
Nous nous étonnons de ne pas encore avoir reçu les marchandises que nous avons commandées

**Do you think you can sort the problem out?**
Pourriez-vous régler le problème?

**How long will it take to sort out the problem?**
Combien de temps cela prendra-t-il pour régler ce problème?

**We're very disappointed with the performance of the machines you sold us recently**
Nous sommes très déçus des performances des machines que vous nous avez récemment vendues

**I'm telephoning to cancel our order (number 5574 / tr). I will fax a letter in confirmation**
Je vous téléphone pour annuler notre commande (numéro 5574 / tr). Je vous confirme par télécopie

# **Computers,** ordinateurs

*see also Describing*

## General Questions about Computers

**What size RAM does this machine have?**
Quelle est la capacité de mémoire RAM de cette
machine?

**What is the capacity of the hard disc?**
Quelle est la capacité du disque dur?

**Do you know how to use this system?**
Est-ce que vous savez piloter ce système? (*familiar*)

**What type of floppy disc do you use?**
Quelle sorte de disquette utilisez-vous?

**Do you have a modem?**
Est-ce que vous avez un modem?

**Can I fax directly from your computer?**
Est-ce que je peux télécopier directement à partir de
votre ordinateur?

**Do you have electronic mail?**
Est-ce que vous pouvez recevoir le courrier
électronique?

**Are you linked to Numéris?**
Est-ce que vous êtes relié à Numéris?

**Do you have access to Transpac?**
Est-ce que vous avez la connexion Transpac?

**Do you have a group IV fax machine?**
Est-ce que vous avez un télécopieur du groupe IV?

**Can you send us the data? What is your baud rate?**
Est-ce que vous pouvez nous transmettre les données?
Quel est votre débit en bauds?

**Does your system run on MS / DOS?**
Est-ce que votre système fonctionne sous MS / DOS?

**Is the system IBM compatible?**
Est-ce que le système est compatible IBM?

**Do you have a laser printer?**
Est-ce que vous avez une imprimante à laser?

**Can I send you the details on disc?**
Est-ce que je peux vous envoyer les renseignements sur
disque?

**What software do you use?**
Quel(s) logiciel(s) utilisez-vous?

**Are you networked?**
Est-ce que vous êtes en réseau?

**Do you have a scanner / CD ROM storage?**
Est-ce que vous avez un scanner / des possibilités de
stockage sur CD ROM?

## Describing the System

*in general*

**All our machines are networked**
Toutes nos machines sont en réseau

**We have an ethernet**
Nous avons un réseau ethernet

**There is a token ring network on the first floor**
Il y a un réseau en anneau à jeton au premier étage

**This site has a LAN network**
L'installation possède un réseau LAN (un réseau local)

**The computers are linked to a laser printer / an ink jet printer on each floor**
A chaque étage les ordinateurs sont reliés à une imprimante à laser / une imprimante à jet d'encre

**There is a dot matrix printer for internal use**
Il y a une imprimante matricielle (à aiguilles) pour l'impression des documents à usage interne

**We transmit data via modem**
Nous transmettons les données par modem

**We hope to be linked to our company network soon**
Nous espérons être bientôt connectés au réseau de notre société

**Each work station has a colour screen**
Chaque poste de travail a un écran couleur

**Access to the central database is controlled by different levels of password**
Des codes à différents niveaux permettent l'accès à une base centrale de données

**All sales intelligence / client records are stored centrally**
Toutes les informations concernant les ventes / les clients sont centralisées

**We chose the UNIX environment**
Nous avons choisi l'environnement UNIX

**It's an open system**
C'est un système ouvert

**We now use CD ROM storage for financial records**
Nous stockons maintenant les informations financières
sur CD ROM

**Our software was designed specially for us**
Notre logiciel a été spécialement conçu pour répondre à
nos besoins

*some detail*

**Each printer is used by 6 work stations**
Chaque imprimante sert six postes de travail

**We use external hard discs**
Nous utilisons des disques durs externes

**Every executive uses the word processing software as
well as the spreadsheet programme**
Tous les cadres utilisent le logiciel de traitement de texte
et le programme tableur

**The system is supplied with a mouse**
Le système est fourni avec une souris

**Files are backed up on tape storage every evening**
Les fiches sont sauvegardées sur bande tous les soirs

**We use computer assisted design in the laboratories**
Dans nos laboratoires nous utilisons la conception
assistée par ordinateur

**We use a DTP system for new product information**
Nous utilisons un système PAO pour les renseignements
sur les produits nouveaux

## Using a Computer

**How do I open the sales file?**
Comment est-ce que j'ouvre le fichier des ventes?

**How do I access the data?**
Qu'est-ce que je fais pour accéder aux données?

**How do I reformat?**
Comment est-ce que je reformate?

**What is the password?**
Quel est le code d'accès?

**What are the commands for cut and paste?**
Quelles sont les commandes pour couper et coller?

**Can you make a hard copy of the report?**
Pouvez-vous tirer une copie du rapport?

**Can I print out the file on last month's sales?**
Est-ce que je peux imprimer le fichier des ventes pour le mois dernier?

**What software do you use?**
Quel logiciel utilisez-vous?

**What is the operating system?**
Quel est le système d'exploitation?

**How do I shut down the computer?**
Comment est-ce que je ferme l'ordinateur?

# Congratulations, félicitations

**Well done!**
Très bien!

**You did well!**
C'est très bien!

**Well done, a good result!**
Très bien, le résultat est excellent!

**Excellent figures, well done!**
Voilà de très bons chiffres, très bien!

**Congratulations!**
Félicitations!

**A great achievement!**
Vous avez très bien réussi!

**That was just right!**
C'était juste ce qu'il fallait!

**You've earned it**
Vous l'avez bien mérité

**You worked hard for it**
Cela vous a demandé beaucoup de travail

**You did a good presentation / report**
Vous avez fait là une bonne présentation / un bon rapport

# **Delivery,** livraisons
# **Transport,** transport

## Arranging Delivery

*supplier / transporter*

**When can we deliver?**
Quand pouvez-vous nous livrer?

**When would it be convenient to deliver your order?**
Quand cela conviendrait-il qu'on vous livre votre commande?

**Do you have a fork lift truck?**
Est-ce que vous avez un chariot de manutention?

**The load weighs 3.2 tons and has a volume of 2 cubic metres**
Le chargement a un poids de trois tonnes deux et un volume de deux mètres cubes

**Do you have lifting gear at the factory?**
Est-ce que vous disposez d'un matériel de levage?

**Which address do you want the order delivered to?**
A quelle adresse voulez-vous qu'on vous livre?

**The goods will be covered by our insurance until they are delivered**
La marchandise sera couverte par notre assurance jusqu'à la livraison

**Can you give me directions to your factory?**
Pouvez-vous m'indiquer comment on arrive à votre usine?

**Can you give me the delivery address?**
Pouvez-vous me donner l'adresse de la livraison?

**When can we collect the load you want delivered to San Polino?**
Quand pouvons-nous prendre le chargement que vous voulez expédier à San Polino?

**Do you need a refrigerated container?**
Avez vous besoin d'un conteneur réfrigéré?

**Do you have container handling facilities?**
Est-ce que vous disposez d'un matériel de manutention pour conteneurs?

*customers' inquiries*

**When would you be able to deliver a load to our factory at Farley?**
Quand seriez-vous en mesure de livrer un chargement à notre usine de Farley?

**How soon could you deliver?**
Quels sont les délais de livraison?

**When do you expect to deliver the order?**
Quand pensez-vous pouvoir livrer la commande?

**Can you deliver earlier / later?**
Pouvez-vous livrer plus tôt / plus tard?

**Would you be able to collect the load on 4 May?**
Pourriez-vous prendre le chargement le quatre mai?

**I want to arrange for delivery of a load to Le Plet**
Je voudrais organiser la livraison d'un chargement à Le Plet

**The load is on 4 pallets**
Le chargement se trouve sur quatre palettes

**The order will be ready for collection on 4 May**
La commande pourra être prise le quatre mai

**What are your rates?**
Quels sont vos tarifs?

**Can you pick up a load at Farley for delivery to Paimpol?**
Est-ce que vous pouvez prendre un chargement à Farley et le livrer à Paimpol?

**I believe you have a regular run to Pisa?**
Je crois savoir que vous avez un service régulier sur Pise?

**I'll fax / telex the details to you today**
Je vous envoie les renseignements par télécopie / télex aujourd'hui

**The documents will be ready when the driver calls for the load**
Les documents seront prêts lorsque le conducteur prendra le chargement

**The cost of transport will be paid by the customer**
Les frais de transport seront à la charge du client

*problems*

**I'm afraid our lorry has been involved in an accident**
Malheureusement, notre camion a eu un accident

**There will be a delay in delivery because:**
La livraison sera retardée parce que:

- **there is a strike at Hamburg**
- il y a une grève à Hambourg

- **of the need to repack the goods**
- on doit refaire les emballages

- **the lorry has broken down**
- le camion est tombé en panne

- **there have been problems with the documents at customs**
- il y a eu des problèmes de documents à la douane

- **the sailing of the ferry has been delayed**
- le départ du ferry a été retardé

- **the airport at Bruges is closed**
- l'aéroport de Bruges est fermé

**Our lorry has gone to the wrong address and will be 2 days late delivering to you**
Notre camion ne s'est pas rendu à la bonne adresse et la livraison aura deux jours de retard

**Our lorry was broken into at . . . and your goods are missing. We will let you know as soon as we have further information**
Il y a eu effraction dans le camion à . . . et vos marchandises ont été volées. Nous vous tiendrons au courant de l'affaire

**We are sorry that the refrigeration plant broke down and the load was spoilt**
Malheureusement, le système de réfrigération est tombé en panne et le chargement est avarié

**I'm afraid that part of your load has been damaged; we've informed the insurers**
Une partie du chargement a malheureusement été endommagée; nous avons averti les assureurs

# **Describing,** descriptions

*see also Accounts, Computers, Directions,
Organisation Structure, Presentations, Tours*

## Describing a Company

*company structure*

**The group is made up of 10 companies under a holding
company**
Le groupe est constitué de dix sociétés sous le contrôle
d'un holding

**It's a company registered in Luxemburg**
C'est une société immatriculée au Luxembourg

**The company has 2 factories and 8 warehouses**
La société possède deux usines et huit entrepôts

**It is established in 6 different countries**
Elle est implantée dans six pays différents

**It's a subsidiary of . . .**
C'est une filiale de . . .

**It's a wholly owned subsidiary of . . .**
C'est une filiale à cent pour cent de . . .

**It's a branch / division of . . .**
C'est une succursale / division de . . .

**The holding company is called . . .**
La société de contrôle s'appelle . . .

**The main company is . . .**
La société principale est . . .

**The headquarters / main offices are in . . .**
Son siège social / bureau principal se trouve à . . .

**The company has 35% of the shares of . . .**
La société détient trente-cinq pour cent des actions
de . . .

**The Bank of . . . has a 10% stake in the company**
La banque . . . a pris une participation de dix pour cent
dans la société

**They're a big / small company**
C'est une grosse / une petite entreprise

**It's managed by Omnius Plc / Giovanni Paolotti**
Elle est sous contrôle de Omnius Plc / dirigée par
Giovanni Paolotti

*company activities*

**The company is involved in distribution**
La société a des activités dans la distribution

**They're in manufacturing**
C'est une entreprise de produits manufacturés

**Infotell is a small software house**
Infotell est une petite entreprise qui produit des logiciels

**We're in PR**
Nous sommes une société dans les Relations Publiques

**Grand Midi are in insurance**
Grand Midi est dans le secteur des assurances

**The company has a good reputation**
Cette société a bonne réputation

**We're a firm of consultants**
Nous sommes un cabinet-conseil

**The company has diversified into property development**
La société s'est diversifiée dans la construction immobilière

**We're involved in a joint venture with Marelli SpA**
Nous sommes partenaires de la société Marelli SpA au sein d'une co-entreprise

**The main activity of the company is security systems**
La société est spécialisée dans les systèmes de sécurité

**They are the leading company in hotels**
Cette société est un grand nom dans le secteur de l'hôtellerie

**The company has been very successful in . . .**
La société a très bien réussi dans . . .

**We develop systems (for . . .)**
Nous développons des systèmes (de . . .)

**We're a Plc**
Nous sommes une société anonyme

**It's a public limited company / a private limited company**
C'est une société anonyme / une société à responsabilité limitée

**We have 220 employees**
Nous avons un effectif de deux cent vingt employés

## Describing a Company Building

**The building is L-shaped / cube-shaped**
Le bâtiment est en L / un bloc . . .

**It's a five-storey building / a single-storey building**
C'est un bâtiment à cinq étages / un bâtiment à un seul
étage

**It's in its own grounds**
Il est situé dans son propre parc

**The building is brick faced / aluminium clad**
Le bâtiment est en briques / à revêtement d'aluminium

**The plant is rather old**
L'installation est assez ancienne

**It's a modern building with light-reflecting windows**
C'est un bâtiment moderne et sa façade est en verre
réfléchissant

**They're open plan offices**
Ce sont des bureaux paysages

**There is an atrium in the centre with a reception desk
and a drinks machine**
Il y a un grand hall au centre où se trouvent la réception
et un distributeur de boissons

**There is a modern sculpture in the forecourt**
Il y a une sculpture moderne à l'entrée

## Describing Yourself / a Business Colleague / a Client

*appearance*

**I am / she is tall / short / of medium height / above average height**
Je suis / elle est de grande / petite taille / de taille moyenne / de taille au-dessus de la moyenne

**I have / he has greying hair / he is bald / she has very short hair**
J'ai / il a les cheveux grisonnants / il est chauve / elle a les cheveux très courts

**She wears glasses / dark glasses**
Elle porte des lunettes / des lunettes noires

**He tends to wear dark / light-coloured suits**
Il s'habille souvent en sombre / dans des couleurs claires

**He likes loud ties**
Il aime les cravates aux couleurs vives

*ability*

**She's / He's:**
Elle / Il est:

- **very sharp / very bright**
- très intelligent(e)

- **a good listener, but he / she makes his / her own judgements**
- attentif(ve) à ce que l'on dit mais il / elle porte des jugements indépendants

- **very dynamic / rather aggressive**
- très dynamique / assez aggressif(ve)

- **a good team member**
- il / elle sait travailler en équipe

- **a good salesperson / a good communicator**
- un bon commercial / une bonne commerciale / il (elle) sait communiquer

- **a bit erratic / very reliable**
- assez irrégulier(-ère) / on peut lui faire confiance

- **a bit introverted / an extrovert**
- un peu renfermé(-e) / un expansif(ve)

**I work for Granton Plc**
Je travaille chez Granton Plc

**I work for a firm of manufacturers**
Je travaille dans une entreprise de produits manufacturés

**I'm a manager with . . .**
Je suis directeur / directrice chez . . .

**She's very active**
Elle a beaucoup d'énergie

**I like working with a team**
J'aime travailler en équipe

**I'm very systematic**
J'ai une approche très systématique

## Describing a Product

**It's an excellent product**
C'est un excellent produit

**It's been selling very well**
Il se vend très bien

**Reliability is very good / above average**
La fiabilité est excellente / au-dessus de la moyenne

**The capital cost is high but the running costs are very low**
Le prix à l'achat est élevé mais les frais de fonctionnement sont minimes

**It will pay for itself within a year**
Il / elle sera amorti(e) en moins d'un an

**This trade mark has always been a good indication of quality**
Cette marque a toujours été synonyme de qualité

**It's the best make available**
C'est la meilleure marque sur le marché

**It uses the latest technology / leading edge technology**
Il applique la toute dernière technologie / la technologie de pointe

**There are a number of similar products on the market**
On trouve un certain nombre de produits semblables sur le marché

**This is the only one of its type**
C'est le seul de ce genre

**It's portable and very easy to use**
Il/elle est portable et d'utilisation très facile

**It will make a lot of cost savings possible**
Il permettra de réaliser des économies substantielles

**It will reduce unit costs**
Il réduira le prix de revient unitaire

# Directions, directions

## Asking for Directions

**Can you tell me how to find . . .?**
Pouvez-vous me dire où je pourrais trouver . . .?

**Is this the right way to . . .?**
Est-ce le bon chemin pour aller à . . .?

**Am I on the right road for . . .?**
Est-ce que je suis sur la bonne route pour aller à . . .?

**Can you tell me how to get to . . .?**
Pouvez-vous m'indiquer comment on va à . . .?

**I'm going to . . . Can you tell me the best way to get there?**
Je vais à . . . Pouvez-vous m'indiquer le meilleur chemin?

**Which road do I take for . . .?**
Quelle route est-ce que je dois prendre pour aller à . . .?

**Which direction is Pona in please?**
Dans quelle direction se trouve Pona s'il vous plaît?

**Is it far to Pona?**
Est-ce que Pona est loin d'ici?

**How long will it take me to get to Pona?**
Combien de temps est-ce que je vais mettre pour aller à Pona?

**How far is it to Pona from the station?**
Pona est à combien de la gare?

**Which is the way to Mr Desoto's office please?**
Où se trouve le bureau de Monsieur Desoto s'il vous plaît?

**How do I get to . . .?**
Comment va-t-on à . . .?

**I've come to see the managing director. Can you tell me which is his office please?**
Je viens voir le directeur général. Pouvez-vous m'indiquer où se trouve son bureau?

**Is this where I can find . . .?**
Est-ce bien ici où se trouve . . .?

## Giving Directions

*general*

**Go through the door at the end of the corridor / on the left / on the right**
Passez par la porte au bout du couloir / à gauche / à droite

**Go straight on**
Allez tout droit

**Go to the end of the corridor**
Allez au bout du couloir

**It's at the end and on the left**
C'est au fond à gauche

**Turn right / left at the end of the corridor**
Tournez à droite / à gauche au bout du couloir

**The visitors' car park is on your left / right**
Le parking réservé aux visiteurs est à votre gauche / droite

**Take the third turning on the left / right**
Prenez le troisième tournant à gauche / droite

**Go down / up a flight of stairs**
Descendez / montez d'un étage

**Take the lift to the 6th floor and turn right / left / go straight ahead on leaving the lift**
Prenez l'ascenseur pour le sixième étage et en sortant tournez à droite / à gauche / allez tout droit

**The office is facing you as you leave the lift**
Le bureau se trouve juste en face de vous lorsque vous sortez de l'ascenseur

**His office is on the left as you go through the doors**
Son bureau est à gauche après les portes

**The office is in the tall building at the end of the drive**
Le bureau se trouve dans le grand bâtiment au bout de l'allée

**I'm afraid you've come to the wrong building / the wrong entrance**
Ce n'est malheureusement pas le bon bâtiment / la bonne entrée

**I'll show you how to get to the right place**
Je vais vous montrer comment y arriver

**I'll take you there**
Je vais vous y emmener

**It's about 5 minutes' walk**
C'est à cinq minutes environ à pied

**It takes about 30 minutes in a car**
C'est à trente minutes environ en voiture

*location*

**It's facing . . .**
C'est en face de . . .

**It's near . . .**
C'est près de . . .

**It's at the end of . . .**
C'est au bout de . . .

**It's just off the central roundabout**
C'est tout près du rond-point central

**Leave the motorway at Hangford and you'll see it there**
Vous quittez l'autoroute à Hangford et c'est là

**The main entrance is on the N 12**
L'entrée principale se trouve sur la N [*en*] douze

**It's on the industrial estate / the science park at . . .**
C'est à la zone industrielle / au technopôle de . . .

**The building is not far from:**
Le bâtiment n'est pas loin de:

- **the motorway / the main road**
- l'autoroute / la route principale

- **the railway station / the airport**
- la gare / l'aéroport

- **the underground station / your hotel**
- la station de métro / votre hôtel

**St Stephen's Road is the road leading from the central roundabout to the football stadium**
St Stephen's Road est la route qui va du rond-point central au stade de football

# Disagreeing, désaccord

*see also Meetings, Negotiations*

**No**
Non

**That can't be right**
Cela ne peut pas être exact

**No that's not quite true**
Non, ce n'est pas tout à fait ça

**That's not true**
Ce n'est pas exact

**That's just not the case**
Ce n'est pas le cas du tout

**I don't agree / I disagree**
Je ne suis pas de cet avis

**I'm afraid I don't agree**
Je ne suis malheureusement pas d'accord

**I can't agree**
Je ne peux pas accepter cela

**I'm sure you're wrong**
Je suis sûr que vous vous trompez

**I think you must be wrong**
Je crois que vous vous trompez

**I'm sorry to disagree but . . .**
Vous m'excuserez de ne pas être de cet avis mais . . .

**I have to differ with you on this point**
Je ne suis pas du même avis que vous sur ce point

**I'm not altogether convinced**
Je ne suis pas tout à fait convaincu

**I'm not sure**
Je ne suis pas sûr

**I must question that**
J'ai des doutes là-dessus

**I still think that's wrong**
Je pense toujours que ce n'est pas ça

**That's ridiculous**
C'est ridicule

# The Economy, l'économie

*see also Figures*

## Talking about the Economy

*results*

**There is inflationary pressure**
Il y a une tendance inflationniste

**The currency is very weak**
La monnaie est très faible

**The exchange rate is poor**
Le taux de change n'est pas favorable

**The trade balance is in deficit**
Le balance commerciale est déficitaire

**There is a large trade gap**
La balance commerciale est largement déficitaire

**Exports are weak / strong**
Le niveau des exportations est bas / élevé

**Invisible earnings have increased**
Les revenus invisibles ont augmenté

**Inflation has increased**
L'inflation a augmenté

**There has been a slump in building**
Le secteur du bâtiment est déprimé

**The tourist industry is booming**
L'industrie du tourisme est en pleine expansion

**The industry is suffering from lack of investment**
L'industrie souffre d'un manque d'investissement

**Export sales are buoyant**
Les ventes à l'exportation sont soutenues

**Interest rates are high**
Les taux d'intérêt sont élevés

**There is a shortage of skilled labour**
Il y a un manque d'ouvriers qualifiés

**There have been a lot of strikes**
Il y a eu beaucoup de grèves

**Political uncertainty has affected the economy**
L'économie est affectée par le climat politique

*trends*

**The consumer goods / luxury goods market is growing fast**
Le marché des biens de consommation / des articles de luxe est en pleine expansion

**Agriculture is becoming more mechanised**
L'agriculture est de plus en plus mécanisée

**Invisible exports are growing**
Les exportations invisibles sont en hausse

**Exports are slowing**
Il y a un ralentissement dans les exportations

**Unemployment is high and growing**
Le taux de chômage est élevé et augmente toujours

**Unemployment is low but it is growing**
Le taux de chômage est bas mais il est en train d'augmenter

**Wages are rising fast at present**
Les salaires augmentent rapidement à l'heure actuelle

**Capital investment is increasing**
Les investissements en biens d'équipement augmentent

*the outlook*

**The outlook is good / poor**
Les perspectives sont encourageantes / médiocres

**The trend is downward / upward**
La tendance est à la baisse / à la hausse

**Interest rates are unlikely to fall this quarter**
Il est peu probable que les taux d'intérêt baissent ce trimestre

**Import controls are possible**
Il est possible que des restrictions soient imposées sur les importations

**Inflation should begin to fall soon**
L'inflation devrait bientôt commencer à baisser

**Demand should increase this year**
La demande devrait augmenter cette année

**The (luxury goods) sector could soon become saturated**
Le secteur des (articles de luxe) pourrait bientôt être saturé

**It's thought that the market for household electrical goods will grow**
On pense que le marché de l'électroménager prendra de l'expansion

**There should be a growing demand for . . .**
Il devrait y avoir une demande croissante pour . . .

# Exhibitions / Trade Fairs,
## expositions / salons

### Before an Exhibition / Trade Fair

*making enquiries*

**Can you tell me the dates of the . . . trade fair please?**
Pouvez-vous m'indiquer la date de la foire . . . / du salon
. . . s'il vous plaît?

**When is the last date we can book a stand?**
Quelle est la date limite pour la location d'un stand?

**What spaces do you have left?**
Quels sont les espaces qui vous restent?

**When is the exhibition open to the public?**
Quand le salon est-il ouvert au public?

**When is the trade day?**
Quel est le jour réservé aux professionnels?

**How many visitors did you have last year?**
Combien de visiteurs avez-vous reçus l'année dernière?

**Could you let us have a list of the exhibitors / the
visitors at last year's trade fair?**
Pourriez-vous nous transmettre la liste des exposants /
des visiteurs de l'année dernière?

**Could we have some literature on the show please?**
Est-ce que vous pouvez nous faire parvenir une
documentation sur le salon s'il vous plaît?

**Have you received any bookings from companies in
our type of activity?**
D'autres sociétés engagées dans notre secteur d'activité
ont-elles réservé des stands?

**What sort of publicity have you organised?**
Quelle campagne publicitaire avez-vous organisé?

**Did the show get much press coverage last year?**
Est-ce qu'il y a eu des articles de presse sur le salon l'année dernière?

**Is it a shell scheme?**
Est-ce qu'il s'agit de stands modulaires?

**What is the cost of advertising in the catalogue?**
Quels sont les tarifs publicitaires pour le catalogue?

**How do I book a stand?**
Que dois-je faire pour réserver un stand?

**What does the cost include?**
Que couvre le prix?

**Does the cost include insurance?**
Est-ce que l'assurance est comprise dans le prix?

**What is the cost of a stand?**
Combien coûte un stand?

**Is the exhibition sponsored?**
Est-ce que l'exposition est parrainée?

**Is that per day or for the duration of the show?**
Est-ce par jour, ou pour toute la durée de l'exposition?

**What type of insurance is there on the stand?**
Le stand est couvert par quel type d'assurance?

**How many stands will there be?**
Combien de stands y aura-t-il?

**Are there any events during the trade fair?**
Y aura-t-il des évènements prévus au cours de la foire?

**What risks does the insurance cover?**
Quels sont les risques couverts par l'assurance?

**Do you issue complimentary tickets?**
Est-ce que vous délivrez des billets de faveur?

**How many complimentary tickets do you supply?**
Combien de tickets de faveur délivrez-vous?

**Can we arrange to have a stand built for us?**
Est-ce que l'on peut faire construire le stand sur place?

**How many exhibitors' badges can we have?**
Combien de badges d'exposant peut-on avoir?

**What parking facilities are there for exhibitors?**
Y a-t-il un parking réservé pour les exposants?

**Is the exhibition hall patrolled at night?**
Le hall d'exposition est-il surveillé la nuit?

**What is the maximum permitted height of stands?**
Quelle est la hauteur maximale autorisée pour les stands?

**Who do we contact to arrange for power points?**
Qui doit-on contacter pour les branchements d'électricité?

*booking a stand*

**I would like to book a stand for the exhibition**
Je voudrais réserver un stand pour l'exposition

**Do you still have:**
Est-ce qu'il vous reste:

- **a corner stand?**
- un stand d'angle?

- **a stand near the main entrance?**
- un stand près de l'entrée principale?

- **a stand near the enquiry desk?**
- un stand à proximité du bureau de renseignements?

- **a stand near the bar?**
- un stand près du bar?

- **a stand on the central passageway?**
- un stand sur l'allée centrale?

**I would like a corner stand**
Je voudrais un stand d'angle

**We want a stand near / away from the stand occupied by . . .**
Nous voudrions un stand qui soit à proximité de / qui ne soit pas à proximité du stand occupé par . . .

**I would like stand number . . .**
Je voudrais le stand numéro . . .

**We will build the stand ourselves**
Nous construirons le stand nous-mêmes

**Our agents will build the stand**
Le stand sera construit par nos agents

**Can you fax me a booking form? My fax number is . . .**
Pouvez-vous me télécopier un formulaire de réservation? Mon numéro est le . . .

**Can I fax you a reservation? What is your fax number?**
Est-ce que je peux réserver par télécopie? Quel est votre numéro de télécopie?

**Will it be possible to get a list of the visitors after the show?**
Est-ce qu'il sera possible d'obtenir une liste des visiteurs après le salon?

**Can you recommend a firm of stand builders?**
Est-ce que vous pouvez nous recommander une entreprise d'aménagement de stands?

**We will require electric points and spot lighting**
Nous aurons besoin de prises de courant et de spots (d'éclairage)

**Can you recommend a hotel?**
Est-ce que vous pouvez me recommander un hôtel?

**Can you let us have the application form for the show?**
Pourriez-vous nous faire parvenir le dossier d'admission pour le salon?

**Can you send all correspondence about the fair to me, as I'm the stand manager?**
C'est moi qui suis le responsable du stand, pouvez-vous m'adresser le courrier concernant l'exposition?

*dealing with enquiries*

**Our insurance covers . . .**
Notre assurance couvre . . .

**There will be 100 exhibitors**
Il y aura cent exposants

**We had 120,000 visitors last year**
Nous avons reçu cent vingt mille visiteurs l'année dernière

**TV 7 will be at the exhibition and there will be a special edition of Enterprise Weekly**
La TV 7 sera présente à l'exposition et il y aura une édition spéciale du journal Enterprise Weekly

**The exhibition is sponsored by . . .**
L'exposition est parrainée par . . .

**There is an exhibitors' car park next to the site**
Il y a un parking réservé aux exposants à côté du centre d'exposition

**Each stand has a 13 amp power point. The voltage is 240 volts**
Tous les stands sont équipés d'une prise de treize ampères. La tension est de deux cent quarante volts

**We can arrange for additional power points**
Nous pouvons fournir des prises supplémentaires

**The cost of . . . is included in the cost of the stand but you will be invoiced for the cost of electricity used on the stand**
Les frais de . . . sont compris dans le prix du stand mais la consommation d'électricité sur le stand vous sera facturée

**We can send you full details by fax today – would you like to give me your fax number?**
Nous pouvons vous télécopier les renseignements aujourd'hui – est-ce que vous voulez me donner votre numéro de télécopie?

**I will send you the booking form straight away**
Je vous envoie le dossier d'inscription tout de suite

**Who should we send the literature to?**
A qui devons-nous adresser la documentation?

**Catalogues will be available 7 days before the opening of the exhibition**
Les catalogues seront disponibles une semaine avant l'ouverture de l'exposition

**Our staff ensure stand security at night**
Le gardiennage de nuit des stands est assuré par notre personnel

**Please let us have the documents confirming your participation in the show as soon as you arrive**
Si vous voulez bien nous remettre dès votre arrivée les documents confirmant votre participation à la foire

**If you need any other information do not hesitate to contact us**
Si vous avez besoin d'autres renseignements n'hésitez pas à nous contacter

## At an Exhibition

*starting a conversation*

**Hello, I represent Howden Services, how can I help?**
Bonjour, je suis représentant de la maison Howden Services. Est-ce que je peux vous renseigner?

**Let me give you one of our brochures**
Permettez-moi de vous remettre une de nos brochures

**Have you come across our products before?**
Est-ce que vous connaissez déjà nos produits?

**What do you know about Howden Services?**
Connaissez-vous Howden Services?

**Which part of our display are you interested in?**
Quelle est la section de notre exposition qui vous intéresse particulièrement?

**What do you use for (data storage) in your company?**
Dans votre entreprise, qu'est-ce vous utilisez pour (le stockage des données)?

**Who supplies your . . . at present?**
Qui est le fournisseur de vos . . . en ce moment?

**Have you ever used our products / machines / services?**
Avez-vous déjà utilisé nos produits / machines / services?

**Would you like to try them?**
Voudriez-vous les essayer?

**Let me show you our new model / product**
Permettez-moi de vous montrer notre nouveau modèle / produit

**If you have a moment to spare, I'll show you some of our . . .**
Si vous avez un moment, je vais vous montrer quelques-uns de nos . . .

**Would you like a drink while I show you . . .?**
Voulez-vous prendre un verre pendant que je vous montre . . .?

**Are you familiar with . . .?**
Est-ce que vous connaissez bien . . .?

**Do you know of . . .?**
Est-ce que vous connaissez . . .?

**We're offering a discount of 10% on all orders placed during the exhibition**
Nous proposons un rabais de dix pour cent sur toutes les commandes passées pendant le salon / la foire

*saying more about your company*

**We're well known in Britain, and we're now starting to get known over here**
Nous sommes bien connus en Grande-Bretagne et nous commençons à être connus ici

**We're an SME based in (the north / south) of England (based in Wales, Scotland)**
Nous sommes une PME implantée dans (le nord / le sud) de l'Angleterre (implantée au Pays de Galles, en Ecosse)

**We've made our reputation in (the . . . sector)**
Nous nous sommes fait une réputation dans (le secteur de . . .)

**We're the leading British company for . . .**
Nous sommes un grand nom en Grand-Bretagne dans . . .

**We're a new company and we've just launched . . .**
Nous sommes une société nouvellement établie et nous venons de lancer . . .
*See also* **Describing**

**I'm the (director of marketing)**
Je suis le (directeur de marketing)

**This is the first time that we've been represented at an exhibition in this country**
C'est la première fois que nous exposons dans ce pays

**We've been very pleased with the amount of interest in our stand**
Nous sommes très satisfaits du succès de notre stand

*finding out more about the visitor*

**What's the main activity of your business?**
Quelle est l'activité principale de votre société?

**I don't think I caught your name**
Je ne crois pas avoir saisi votre nom

**Out of interest, what's your company called?**
Par curiosité, quel est le nom de votre société?

**Are you involved in selecting new products?**
Est-ce que vous êtes chargé de la sélection de nouveaux produits?

**Let me show you the advantages / features of our . . .**
Permettez-moi de vous montrer les avantages / les caractéristiques de nos . . .

**How does our . . . compare with what you are using at the moment?**
Comment trouvez-vous notre . . . par rapport à ce que vous utilisez en ce moment?

**Would you like us to give you a quote?**
Voulez-vous avoir un prix indicatif?

**Can I leave you my card?**
Est-ce que je peux vous laisser ma carte?

**Do you have a card?**
Est-ce que vous avez une carte?

**Oh, you're an exhibitor as well? Which stand are you on? I'll come and see you**
Ah, vous êtes également exposant? Quel stand occupez-vous? J'irai vous voir

**Can I just take your details and we'll contact you after the exhibition?**
Est-ce que je peux prendre vos coordonnées? Nous vous contacterons après l'exhibition

**Would you like to leave your details?**
Voulez-vous nous laisser vos coordonnées?

**Have you got a business card?**
Est-ce que vous avez une carte?

*dealing with more than one visitor*

**Can I introduce you to my colleague Alan? – Alan, this is . . . , he's from . . .**
Est-ce que je peux vous présenter à mon collègue Alan? – Alan, voici . . . , il représente . . .

**Can I leave you to discuss . . . with my colleague while I have a few words with this other visitor?**
Est-ce que je peux vous laisser pendant que je dis deux mots à un autre client?

**I'll be with you in a moment, would you like to sit down?**
Je suis à vous dans un instant, voulez-vous vous asseoir?

**Would you like to look through our catalogue? I'll be with you shortly**
Voulez-vous regarder notre catalogue? Je suis à vous tout de suite

**Can I offer you something to drink while I talk to my other client?**
Est-ce que je peux vous offrir un verre pendant que je parle à mon autre client?

*arranging a follow-up meeting*

**I'll contact your secretary tomorrow to make an appointment**
Je prendrai contact avec votre secrétaire demain pour prendre rendez-vous

**When would be a good time to come and see you?**
Quel serait le meilleur moment pour venir vous voir?

**Would you like to make an appointment now?**
Est-ce que vous voulez prendre rendez-vous
aujourd'hui?

**Who should I contact in your organisation to arrange a presentation?**
Qui dois-je contacter dans votre société pour organiser
une présentation?

**When would you like me to come and give a demonstration?**
Quand voulez-vous que je vienne vous faire une
démonstration?

**I'll give you a ring in a few days to see if we can discuss this further**
Je vous appellerai dans quelques jours pour en discuter
davantage

**When would be a good time to contact you?**
Quel serait le meilleur moment pour vous joindre?

**Would you like to leave me your details? I might be able to help you**
Voulez-vous me laisser vos coordonnées? Je pourrais
peut-être vous aider

**If you leave your address I'll arrange for our local sales consultant to visit you**
Vous nous laissez votre adresse et je ferai le nécessaire
pour que notre conseiller en ventes pour votre région
vous rende visite

**If you could leave your details / your business card, I'll send you more information**
Si vous me laissez vos coordonnées / votre carte
professionnelle, je vous enverrai des renseignements
supplémentaires

**We'll be on Stand 564 at the International Exhibition in . . .**
Venez nous voir au Stand cinq cent soixante-quatre de l'Exposition Internationale à . . .

**We'll be pleased to see you there**
Nous serons enchantés de vous y accueillir

**If you'd like to come back in an hour, we'll be demonstrating the new model**
Si vous voulez bien revenir dans une heure nous ferons une démonstration du nouveau modèle

**I look forward to meeting you again. Goodbye**
Au plaisir de vous revoir, Monsieur / Madame . . .

# Figures and Numbers, chiffres
et numéraux

## General

| | |
|---|---|
| 0 | zéro |
| 1, 2, 3, 4, 5 . . . | un, deux, trois, quatre, cinq . . . |
| 21 | vingt et un |
| 22 | vingt-deux |
| 31 | trente et un |
| 32 | trente-deux |
| 40 | quarante |
| 50 | cinquante |
| 60 | soixante |
| 70 | soixante-dix |
| 71 | soixante et onze |
| 72 | soixante douze |
| 80 | quatre-vingts |
| 81 | quatre-vingt-un |
| 82 | quatre-vingt-deux |
| 90 | quatre-vingt-dix |
| 91 | quatre-vingt-onze |
| 92 | quatre-vingt-douze |
| 100 | cent |
| 101 | cent un |
| 102 | cent deux |
| 121 | cent vingt et un |
| 122 | cent vingt-deux |
| 200 | deux cents |
| 201 | deux cent un |
| 223 | deux cent vingt-trois |
| 1 000 | mille |
| 1 001 | mille un |
| 1 131 | mille cent trente et un |
| 1 133 | mille cent trente-trois |
| 10 000 | dix mille |
| 10 341 | dix mille trois cent quarante et un |

| | |
|---|---|
| 12 391 | douze mille trois cent quatre-vingt-onze |
| 100 000 | cent mille |
| 1 000 000 | un million |
| 2 000 000 000 | deux milliards |

## Decimal Figures

The French still generally use the comma (*la virgule*) to indicate the decimal point. However, in scientific and technical French it is now more usual to use the decimal point (*le point*), especially when reading figures from digital displays. It is becoming more and more common to hear figures quoted with the decimal point rather than the comma in economics and business.

| | |
|---|---|
| 8.5 | **eight point five** |
| 8,5 | huit virgule cinq |
| | OR |
| 8.5 | huit point cinq |
| | |
| 8.78 | **eight point seven eight** |
| 8,78 | huit virgule soixante dix-huit |
| | OR |
| 8.78 | huit point soixante dix-huit |
| | |
| 3.612 | **three point six one two** |
| 3,612 | trois virgule six cent douze |
| | OR |
| 3.612 | trois point six cent douze |

## Ordinal Numbers

| | |
|---|---|
| 1st | **the first** |
| 1er, 1ère | le premier / la première |
| | |
| 2nd | **the second** |
| 2ème | le second / la seconde, le / la deuxième |

| | |
|---|---|
| 3rd | **the third** |
| 3ème | le / la troisième |
| | |
| 17th | **the seventeenth** |
| 17ème | le / la dix-septième |
| | |
| 21st | **the twenty-first** |
| 21ème | le / la vingt et unième |
| | |
| 30th | **the thirtieth** |
| 30ème | le / la trentième |
| | |
| 40th | **the fortieth** |
| 40ème | le / la quarantième |
| | |
| 100th | **the hundredth** |
| le 100 ème | le / la centième |
| | |
| 1,000th | **the thousandth** |
| le 1 000 ème | le / la millième |
| | |
| 100,000th | **the hundred thousandth** |
| le 100 000 ième | le / la cent millième |
| | |
| 1,000,000th | **the millionth** |
| le 1 000 000 ième | le / la millionième |

## Fractions and Percentages

| | |
|---|---|
| ½ | **a half, half of . . ., one over two** |
| ½ | un demi litre / une demie charge, la moitié de . . . , un / une sur deux |
| | |
| ⅓ | **a third, one over three** |
| ⅓ | un tiers, un / une sur trois |
| | |
| ¼ | **a quarter, one over four** |
| ¼ | un quart, un / une sur quatre |

| | |
|---|---|
| ⅕ | **a fifth** |
| ⅕ | un cinquième |
| | |
| 10% | **ten per cent** |
| 10% | dix pour cent |
| | |
| 10.4% | **ten point four per cent** |
| 10,4% | dix virgule quatre pour cent |
| | OR |
| | dix point quatre pour cent |
| | |
| 10.43% | **ten point four three per cent** |
| 10,43% | dix virgule quarante-trois pour cent |
| | OR |
| | dix point quarante-trois pour cent |

## Ratios

**Shares will be exchanged in the ratio one to three**
Les actions seront reprises dans le rapport une contre trois

## Quoting Figures with Units

| | |
|---|---|
| 3,2 cm | trois virgule deux centimètres |
| | OR |
| | trois centimètres deux |
| | |
| 1,80 m | un mètre quatre-vingts |
| | |
| 150 km | cent cinquante kilomètres |
| | |
| 1,5 kg | un kilo cinq, OR un kilo cinq cent grammes |
| | |
| 3.5 l | trois litres cinq OR trois litres et demi |

| | |
|---|---|
| 2 ½ yrs | **two and a half years**<br>deux ans et demi |
| 10,50 FF | 10 francs cinquante (centimes) |
| 110,82 FF | cent dix francs quatre-vingt-deux (centimes) |
| £525.62 | cinq cent vingt-cinq livres soixante-deux (pence) |
| 1 000 FF | un millier de francs |

## Prices

**The price is:**
Le prix est de:
- **£3 per unit**
- trois livres sterling l'unité

- **£2 per litre**
- deux livres sterling le litre

**The price is £3,226**
Le prix est de trois mille deux cent vingt-six livres sterling

**The cost will be 446 FF each**
Le prix sera de quatre cent quarante-six francs pièce

## Dates and Times

**14 January 1994**
Le quartorze janvier mil neuf cent quatre-vingt-quatorze

**1 June / the first of June**
Le premier juin

**2 pm, 1400**
Deux heures de l'après-midi, quatorze heures

93

**The flight is at 3.15 pm / the flight is at 1515**
Le vol est à trois heures quinze de l'après-midi / le vol est
à quinze heures quinze

**The meeting will be held at 9 am**
La réunion se tiendra à neuf heures du matin

## Quoting Other Numbers

> Many numbers are read out as large figures (thousands,
> hundreds or tens). If you are not sure how to read a large
> figure, quote the individual figures (instead of *soixante-
> deux* / 62, quote *'six, deux'*).

*telephone, telex, fax numbers*

> Telephone numbers are read in pairs of figures for eight-
> figure numbers and in groups of three and two if the
> number has seven figures. The dialling codes (*les
> indicatifs*) are quoted separately.

**(16) (1) 42 52 36 67**
'l'indicatif seize, un, quarante-deux, cinquante-deux,
trente-six, soixante-sept'

Extension numbers are often read as one single large
number:

**Extension number 5409**
le poste 5409: 'le poste cinq mille quatre cent neuf'

**Extension number 348**
le poste 348: 'le poste trois cent quarante-huit'

A fax number (*le numéro de télécopie*) is read in the same
way whereas a telex number will be read out as groups
of figures.

*postal codes*

> French postal codes are based on the number of the
> *département* and it is essential to quote them or note
> them in all addresses. They are read out in two groups,
> first the number of the *département* (first two figures),
> then the local sort code (last three figures):

**75543:** 'soixante-quinze, cinq cent quarante-trois'

> Large postal users also have a special sort code, a
> *numéro CEDEX*:

**Paris CEDEX 11:** 'Paris CEDEX onze'

**Paris CEDEX 06:** 'Paris CEDEX zéro six'

*number plates*

> In France private number plates (*les plaques
> minéralogiques*) quote two groups of numbers separated
> by two letters. The figures are read in groups:

**154 RS 78:** 'cent cinquante-quatre [*err ess*] soixante
dix-huit'

*reference numbers, code numbers*

> Reference numbers may be read out as groups of figures
> with individual letters or punctuation being dictated:

**374 / 578 G:** 'trois cent soixante quatorze oblique cinq
cent soixante dix-huit [*jay*]'

**4849 – YT:** 'quatre mille huit cent quarante-neuf trait
d'union [*ee grek tay*]'

**Your letter reference 3939 / TR**
Votre lettre référence trois mille neuf cent trente-neuf
oblique [*tay err*]

## Discussing Figures

*approximation*

**The cost will be about £1,500**
Cela coûtera environ mille cinq cents livres

**The final figure will be around 440 KF**
Le chiffre définitif tournera autour de quatre cent
quarante kilofrancs

**We have nearly 200 employees**
Nous avons près de deux cents employé(e)s

**The profit has almost gone through the 10 million
mark**
La bénéfice a presque franchi la barre des dix millions

**This year our turnover will be in the order of £6
million**
Cette année notre chiffre d'affaires sera de l'ordre de six
million de livres

**Our profit is between 15 and 15.5%**
Notre bénéfice se situe entre quinze et quinze virgule
(point) cinq pour cent

**The industrial estate is about 8 km from the town**
La zone industrielle se trouve à environ huit kilomètres
de la ville

**The figure is in the region of 1000 francs**
Le chiffre avoisine les mille francs

**The costs are just over / just under . . .**
Les frais se situent à peine au-dessus de . . . / à peine
en-dessous de . . .

**The increase is just over 10%**
L'augmentation est à peine de dix pour cent

**The cost of transport has gone up by a little over 7%**
Les prix du transport on connu une hausse d'un peu
plus de sept pour cent

**We telephoned more than 400 customers**
Nous avons téléphoné à plus de quatre cents clients

**Less than 2% of customers have said they are
dissatisfied with the after sales service**
Moins de deux pour cent des clients se sont déclarés
mécontents du service après-vente

**We have sent out hundreds / thousands of brochures**
Nous avons envoyé des centaines / milliers de brochures

**We contacted about a hundred / about a thousand
customers**
Nous avons contacté une centaine / un millier de clients

**We received their reply about 10 days later**
Nous avons reçu leur réponse une dizaine de jours plus
tard

*frequency*

**Deliveries will be . . .:**
Les livraisons seront effectuées . . .:

- **weekly**
- toutes les semaines

- **monthly**
- tous les mois

- **every 2 months**
- tous les deux mois

**We can make these modules at the rate of 500 per month**
Nous pouvons construire ces modules au rythme de / à la cadence de cinq cents modules par mois

*changes and trends*

**Sales have increased / decreased by 5%**
Les ventes ont augmenté / baissé de cinq pour cent

**The price has been increased / decreased to . . .**
Le prix a été porté à . . . / abaissé à . . .

**Sales have increased / decreased regularly / rapidly / slowly**
Les ventes ont augmenté / baissé régulièrement / rapidement / lentement

**Orders have doubled this year / since the beginning of the quarter**
Les commandes ont doublé cette année / depuis le début du trimestre

**We have reduced our expenses by 30 KF**
Nous avons réduit nos dépenses de trente kilofrancs

**Our share has gone from 15 to 20%**
Notre part est passée de quinze à vingt pour cent

**The sales have fallen to 2,700 units per quarter**
Les ventes sont tombées à deux mille sept cents unités par trimestre

**The government has increased interest rates**
Le gouvernement a relevé les taux d'intérêt

**There were 12,700 visitors to the show, 5.5% more than last year / fewer than last year**
Il y a eu douze mille sept cents visiteurs au salon, soit cinq virgule cinq pour cent de plus que l'année dernière / de moins que l'année dernière

**The turnover for the quarter is almost up to the level reached at the same time last year**
Le chiffre d'affaires pour le trimestre a presque atteint le niveau de celui de l'année dernière à la même époque

**At 312,883 the sales results are slightly higher / slightly lower than last year's**
A trois cent douze mille huit cent quatre vingt-trois le chiffre des ventes est légèrement plus élevé / légèrement inférieur à celui de l'année dernière

**Market penetration has reached 20%, twice as much as last year**
La pénétration du marché a atteint vingt pour cent, soit deux fois plus que celle de l'année dernière

**It's double the expected figure**
C'est le double du chiffre prévu

**The profit is a million francs less than last year**
Le bénéfice est inférieur à un million de francs par rapport à l'année dernière

**The profit margin has gone from 11 to 14%**
La marge bénéficiaire est passée de onze à quatorze pour cent

**The value of the market has gone up by a billion francs**
La valeur du marché a augmenté d'un milliard de francs

**Overheads have been reduced from . . . FF in 19— to . . . FF in 19—**
Les frais généraux ont été ramenés de . . . FF en 19— à . . . FF en 19—

# Hotels and Conference Centres, hôtels et centres de conférences

*see also Booking*

## Booking a Room

**I'd like to book a room please**
Je voudrais réserver une chambre s'il vous plaît

**I would like a room for one / two persons with a shower / bath**
Je voudrais une chambre simple / double avec bain / douche

**It would be for 3 nights from 5 October**
Ce serait pour trois nuits à partir du cinq octobre

**It's in the name of ...**
C'est au nom de ...

**I shall be arriving at 11 pm (2300)**
J'arriverai à vingt-trois heures
*See also* **Booking**

## Arriving

**Do you have any rooms available?**
Est-ce que vous avez des chambres libres?

**No, I don't have a booking**
Non, je n'ai pas fait de réservation

**Can you recommend another hotel I could try near here?**
Est-ce que vous pouvez me recommander un autre hôtel près d'ici?

**I would like full board / half board**
Je voudrais rester en pension complète / en demi
pension

**Which floor is the room on? Is there a lift?**
A quel étage se trouve la chambre. Est-ce qu'il y a un
ascenseur?

**I'm a little early – is my room available yet?**
Je suis un peu en avance – est-ce que je peux occuper ma
chambre tout de suite?

**My name is . . . and I have a reservation**
Je suis Monsieur / Madame . . . et j'ai fait une réservation

**Hello, my name is . . . , from Hallowin plc. I believe
you have a room booked for me?**
Bonjour, je m'appelle . . . , de la société Hallowin. Je
crois que vous avez une chambre réservée à mon nom?

**My secretary booked a room for me by telex some time
ago / yesterday**
Ma secrétaire a réservé une chambre par télex il y a
quelque temps / hier

**There must be some mistake, I have the confirmation
here**
Il doit y avoir erreur, j'ai ici confirmation de la
réservation

**The reservation might be in the name of my company**
Il se peut que la réservation soit au nom de ma société

**My name is Charles Michael, perhaps the booking has
been written down in the name of Charles?**
Je m'appelle Charles Michael, la réservation a peut être
été faite au nom de Charles?

**I definitely booked a room with a single bed**
Je suis absolument sûr d'avoir réservé une chambre
simple

## Inquiries

**I reserved for one person but I have brought a
colleague with me. Do you have another room
available?**
J'ai réservé pour une personne mais j'ai amené un
collègue. Est-ce que vous avez une autre chambre libre?

**My room is too noisy – do you have a quieter room?**
Ma chambre est trop bruyante – est-ce que vous en avez
une plus calme?

**I want to stay an extra two days. Do you have a room
available?**
Je voudrais rester deux jours supplémentaires. Est-ce
que vous avez une chambre libre?

**I booked for 5 days but I now have to leave in 3 days**
J'ai réservé pour cinq jours mais je dois maintenant
partir dans trois jours

**Where can I leave my car?**
Où est-ce que je peux laisser ma voiture?

**Do you have a safe? I would like to deposit some
documents**
Est-ce que vous avez un coffre-fort? Je voudrais y
déposer des documents

**When does the bar close?**
A quelle heure le bar ferme-t-il?

**Where can I get a meal?**
Où puis-je prendre un repas?

**Can you order a taxi for me please? I want to go to . . .**
Pouvez-vous me demander un taxi s'il vous plaît? Je
voudrais me rendre à . . .

**Can you book a taxi for 3 pm for me please? I must be
at the airport by 6.30 pm**
Est-ce que vous pouvez demander un taxi pour quinze
heures s'il vous plaît? Je dois être à l'aéroport avant
dix-huit heures trente

**Can I have two light lunches in my room please?**
Est-ce que vous pouvez servir deux repas légers dans ma
chambre s'il vous plaît?

**Can you put the drinks on my bill please?**
Est-ce que vous pouvez ajouter les boissons à mon
compte s'il vous plaît?

**Do you have a laundry service?**
Est-ce que vous avez un service de blanchissage?

**What's the latest I can check out?**
A quelle heure au plus tard dois-je libérer ma chambre?

**My name is . . . and I'm in room . . . I'm expecting a
visitor, a Mr Palet. Can you let me know when he
arrives?**
Je m'appelle . . . et j'occupe la chambre . . . J'attends
quelqu'un, Monsieur Palet. Pouvez-vous m'avertir de
son arrivée?

**Can you ask him to wait in reception?**
Est-ce que vous pouvez lui demander d'attendre à la
réception?

**Where can I find the bar / the nearest post office / the
car park / the toilets?**
Où puis-je trouver le bar / le bureau de poste le plus
proche / le parking / les toilettes?

**What time do you serve / lunch / dinner / breakfast?**
A quelle heure le déjeuner / le dîner / le petit-déjeuner
est-il servi?

**How far is it to the Indo Suisse Bank?**
A quelle distance d'ici la banque Indo Suisse se trouve-t-
elle?

**Can I walk to the ... easily?**
Est-ce que je peux facilement aller à pied à ...?

**Can you recommend a restaurant in town?**
Pouvez-vous me recommander un restaurant en ville?

**I'm leaving early tomorrow morning. Can you make up
my bill please?**
Je pars tôt demain matin. Est-ce que vous pouvez
préparer l'addition s'il vous plaît?

**Could I have a call at 5 am please and an early
breakfast?**
Pourriez-vous m'appeler à cinq heures du matin s'il vous
plaît? Est-ce que je pourrais prendre le petit-déjeuner?

## Conference Activities

*See also* **Booking**

**Can you arrange the tables in a U shape / in a square?**
Pouvez-vous disposer les tables en U / en carré?

**We want the chairs in rows**
Nous voudrions que les chaises soient disposées en rangs

**We are expecting 35 people**
Nous attendons trente-cinq personnes

**Could you give us some more paper for the flip chart please?**
Pourriez-vous nous donner du papier pour le tableau à feuilles mobiles s'il vous plaît?

**Could you give us some more marker pens for the board please?**
Pourriez-vous nous donner d'autres marqueurs pour le tableau s'il vous plaît?

**Could we have coffee for 30 at 10.30 please?**
Est-ce que nous pourrions avoir du café pour trente personnes à dix heures trente s'il vous plaît?

**We asked for a VHS video player – this one is Betamax**
Nous avons demandé un magnétoscope VHS – celui-ci est un Betamax

**What time is lunch arranged for?**
A quelle heure le déjeuner est-il prévu?

**What time is the room booked until?**
Jusqu'à quelle heure la salle est-elle réservée?

**Do you have a typist? We would like some papers typed up urgently**
Est-ce que vous avez une dactylo? Nous voudrions que ces documents soient tapés d'urgence

**Could we have photocopies of these documents please? We need 12 copies of each page**
Pourrions-nous faire photocopier ces documents s'il vous plaît? Nous avons besoin de douze copies de chaque page

**Is it possible to have a telephone extension in the conference room?**
Est-ce qu'il est possible d'installer un poste téléphonique dans la salle de conférence?

**Do you have a courtesy car? Three of the delegates would like to get to the station**
Est-ce que vous avez une voiture à la disposition des clients? Trois des participants voudraient se rendre à la gare

## Checking Out

**Can I have the bill please? I'm in room 125, the name is Schmid**
Puis-je avoir l'addition s'il vous plaît? Monsieur Schmid, chambre cent vingt-cinq

**Can I pay by credit card? Which cards do you accept?**
Est-ce que je peux payer par carte de crédit? Quelles cartes acceptez-vous?

**Electrotech SA are settling the bill but I must sign**
C'est Electrotech SA qui réglera la note, mais je dois signer

**Did you order my taxi?**
Est-ce que vous m'avez demandé un taxi?

**Is my taxi on the way? I asked for one at midday**
J'ai demandé un taxi pour midi – est-ce qu'il est en route?

## Problems with the Bill

**What is this item?**
Qu'est-ce qui a été porté ici?

**Why is there a charge for . . .?**
Pouquoi m'a-t-on facturé . . .?

**Is service included?**
Est-ce que le service est compris?

**There were 16 people at the conference (including the organisers). You have charged for 21 lunches and 26 coffees**
Il y avait seize personnes à la conférence (avec les organisateurs). Vous avez compté vingt et un déjeuners et vingt-six cafés

**We didn't have a video player**
Nous n'avons pas eu de magnétoscope

**The video player didn't work and I refuse to pay for it**
Le magnétoscope ne fonctionnait pas et je refuse de payer

**I think you've overcharged. Can you check the total?**
Je crois que vous m'avez fait payer plus que je ne dois. Pouvez-vous vérifier le total?

**I only had a single room**
Je n'avais qu'une chambre simple

**I had a room without a shower**
J'avais une chambre sans douche

**I didn't have any drinks from the fridge in my room**
Je n'ai pris aucune boisson du réfrigérateur de ma chambre

**This is not my bill, this is not my signature**
Ce n'est pas ma note, ce n'est pas ma signature

**I thought parking was free**
Je croyais que le parking était gratuit

**I didn't have a newspaper every morning**
Je n'ai pas eu le journal tous les matins

**Can I have a copy of the bill please?**
Est-ce que je peux avoir un exemplaire de l'addition s'il vous plaît?

## Complaints

**I want to make a complaint**
Je voudrais faire une réclamation

**My room is very noisy**
Ma chambre est très bruyante

**My television does not work**
Ma télévision ne fonctionne pas

**My washbasin is blocked**
Mon lavabo est bouché

**My shower only works on cold**
Ma douche ne donne que de l'eau froide

**I would like to change rooms – the lift wakes me up at night**
Je voudrais changer de chambre – l'ascenseur me réveille la nuit

**My room is dirty**
Ma chambre n'est pas propre

**I ordered breakfast an hour ago and it still hasn't come**
J'ai commandé le petit déjeuner il y a une heure et il n'est pas encore servi
*See also* **Complaints, Restaurants**

# Introductions, présentations

*see also Meetings*

## Introducing Oneself

**Let me introduce myself: John Grayson, from Transmac Ltd** *(formal)*
Permettez-moi de me présenter: John Grayson, de la société Transmac Limited *(formal)*

**May I introduce myself? I'm responsible for marketing for Transmac Ltd. My name is John Grayson**
Permettez-moi de me présenter. Je suis responsable du marketing pour Transmac Limited. Je m'appelle John Grayson

**My name is Grayson**
Je m'appelle Grayson

**I'm John Grayson, from Transmac Ltd**
Je suis John Grayson, de Transmac Limited

**Hello, my name's Grayson. I work for Transmac** *(more familiar)*
Bonjour, je m'appelle Grayson. Je travaille chez Transmac *(more familiar)*

**Here's my card**
Voici ma carte

**Let me give you my address and telephone number**
Permettez-moi de vous donner mes coordonnées

## Making Someone's Acquaintance

**I don't think we've met, have we?**
Je ne crois pas que nous nous connaissons

**Excuse me, I didn't catch your name**
Pardon, je n'ai pas saisi votre nom

**Weren't you at the Frankfurt Trade Fair?**
Vous n'étiez pas à la Foire Commerciale de Francfort?

**You're Mr Chambaz aren't you?**
Vous êtes bien Monsieur Chambaz, n'est-ce pas?

**I think we've met before, haven't we? Isn't it Mr Hoffmann?**
Je crois que nous nous sommes déjà vus; c'est bien à Monsieur Hoffmann que je parle?

## Introducing Someone to Someone Else / Being Introduced / Replies to Introductions

**You must meet my colleague / our manager, Mike**
Il faut que vous fassiez la connaissance de mon collègue / notre directeur, Mike

**This is my colleague, John**
Je vous présente mon collègue, John

**Do you know Jane Grayson?**
Vous connaissez Jane Grayson?

*reply* • **I'm very pleased to meet you**
        • Enchanté

**Let me introduce my colleagues**
Permettez-moi de vous présenter mes collègues

**These are the other members of the department / the other members of the team**
Voici les autres membres du service / les autres membres de l'équipe

*reply* • **Pleased to meet you all**
        • Très heureux de faire votre connaissance

**This is Mike. I don't believe you've met, have you?**
Voici Mike. Je ne crois pas que vous vous connaissez
n'est-ce pas?

*reply*
- **Pleased to meet you Mike**
- Enchanté Mike

*reply*
- **I'm very pleased to meet you Mike**
- Je suis heureux de faire votre connaissance
  Mike

*reply*
- **Hi there** (*familiar*)
- Salut (*familiar*)

**Ms Delay, this is Mr Grayson**
Madame Delay, voici Monsieur Grayson

*reply*
- **Pleased to meet you Ms . . . / Mr . . .**
- Je suis enchanté de faire votre connaissance
  Madame . . . / Monsieur . . .

**I don't think you know Jacqueline do you?**
Je ne crois pas que vous connaissez Jacqueline?

*reply*
- **No, I don't. I'm pleased to meet you . . .**
- Non, je suis heureux de faire votre
  connaissance

**Have you met my colleague . . . / our marketing
manager?**
Est-ce que vous connaissez mon collègue . . . / notre
directeur de marketing?

**I believe you've already met John Proudy?**
Vous avez déjà rencontré John Proudy je crois?

*reply*
- **Yes I have, I'm pleased to meet you again,
  John** (*informal*) / **Mr Proudy** (*formal*)
- Oui, en effet, je suis heureux de vous revoir,
  John (*informal*) / Monsieur (*formal*)

**I believe you already know each other?**
Vous vous connaissez déjà je crois?

*reply*  • **Pleased to meet you again Mr . . . / Ms . . .**
      • Je suis enchanté de vous revoir Monsieur . . . /
       Madame . . .

**May I have the pleasure of introducing our chairman
to you?** *(formal)*
J'ai l'honneur de vous présenter notre président *(formal)*

*reply*  • **I'm very pleased to meet you** *(formal)*
      • Je suis enchanté de faire votre connaissance,
       Monsieur le Président / Madame La Présidente
       *(formal)*

**I'd like you to meet our new manager**
Je voudrais que vous fassiez la connaissance de notre
nouveau directeur

*reply*  • **I'm very pleased to meet you**
      • Je suis enchanté de faire votre connaissance

**May I introduce our financial director, Sara Gray?**
Permettez-moi de vous présenter notre directeur
financier, Sara Gray

**Let me introduce Mr Stimm**
Permettez-moi de vous présenter Monsieur Stimm

# Invitations, invitations

*see also Accepting, Appointments, Meetings*

## Inviting Someone to a Meeting

**I'm calling a meeting on 7 November and I wondered whether you would be able to come?**
Je suis en train d'organiser une réunion pour le sept novembre, peut-être pourriez-vous venir?

**I'd be very grateful if you could come to a meeting on . . . to discuss . . .**
Je vous serais reconnaissant d'assister à une réunion le . . . pour discuter de . . .

**I'm arranging a meeting to discuss . . . and I would like to ask you to come / and I'd be very grateful if you would come**
Je suis en train d'organiser une réunion pour discuter de . . . et je vous demanderais de bien vouloir venir / je vous saurais gré de bien vouloir venir

**I wondered if you would come to a meeting at our offices on 5 September?**
Peut-être pourriez-vous venir à une réunion qui se tiendra à nos bureaux le cinq septembre?

**Would you like us to meet to discuss this?**
Voudriez-vous que nous nous voyions pour en discuter?

**Can I ask you to come and discuss this?**
Puis-je vous demander de venir en discuter?

**I'd like to invite you to a meeting to discuss the project**
Je voudrais que vous assistiez à la réunion pour discuter de ce projet

**Could we meet to discuss this?**
Est-ce que nous pourrions nous voir pour en discuter?

## Inviting Someone to Lunch / Dinner

**Let's have a bite to eat**
Allons manger un morceau

**Can I offer you lunch / dinner?**
Est-ce que je peux vous proposer de déjeuner / dîner?

**How about lunch / dinner?**
Et si nous déjeunions / dînions ensemble?

**Would you like to have lunch / dinner on 14 May?**
Voudriez-vous déjeuner / dîner le quatorze mai?

**Would you like to discuss this over lunch / dinner?**
Voudriez-vous que nous en discutions au cours d'un déjeuner / dîner?

**Would you like to come to dinner at my house on Thursday?**
Voudriez-vous venir dîner chez moi jeudi?

**We'd be very happy if you'd have dinner with us. When would be a suitable date?**
Nous serions très heureux de vous recevoir pour dîner. Quelle serait la meilleure date?

**We're having a small party / dinner party on . . . We'd be very pleased if you would join us**
Nous organisons une petite réunion / un dîner entre amis. Nous serions enchantés de vous compter parmi nous

## Inviting Someone to Visit your Company

**Have you seen our new plant / offices?**
Avez-vous vu notre nouvelle usine / nos nouveaux bureaux?

**Would you like to come and have a look at (our new stock control system)?**
Voudriez-vous venir voir (notre nouveau système de gestion des stocks)?

**We'd like to invite you to visit our company**
Nous voudrions vous inviter à visiter notre entreprise

**When would you like to come?**
Quand voudriez-vous venir?

**I'd very much like to show you round. When would you like to come and visit us?**
J'aimerais vous faire visiter notre usine. Quand voudriez-vous venir nous voir?

**We'd be very pleased if you would visit our new office complex**
Nous serions très heureux de votre visite à nos nouveaux bureaux

**We're opening our new offices / our new plant on 23 March and we'd be very pleased if you could come for the opening and the cocktail party afterwards**
Nous inaugurons nos nouveaux bureaux / notre nouvelle usine le vingt-trois mars et nous serions heureux de votre présence à l'inauguration et à l'apéritif qui suivra

## Replying to Invitations

*accepting*

**Yes, thank you very much**
Oui, merci beaucoup

**Yes, I think that would be a good idea. When would suit you?**
Oui, je pense que ce serait une bonne idée. Quand cela vous conviendrait-il?

**Yes, I think I could manage that**
Oui, je pense que je pourrais m'arranger

**That's very kind of you, thank you, I'd love to**
C'est très gentil de votre part, j'accepte

**Yes, I'd be very interested to**
Oui, cela m'intéresserait beaucoup

**When would suit you best?**
Quand cela vous conviendrait-il le mieux?

**I'll look forward to it**
C'est avec plaisir que je m'y rendrai

### refusing

**Oh, I wouldn't like to impose, but thanks all the same**
Merci, mais je ne voudrais pas vous déranger

**Thank you very much but I'm afraid I'm booked up**
Je vous remercie. Malheureusement mon agenda est complet

**No, I'm afraid that clashes with another meeting / appointment**
Non, malheureusement j'ai déjà une autre réunion / un autre rendez-vous à cette date

**I'm afraid I have to leave by midday**
Je dois malheureusement partir avant midi

**I'll have left by then, perhaps another time?**
Je serai déjà parti, une autre fois peut-être?

**It's very kind of you but I have to be back in Britain by tomorrow**
C'est très gentil à vous mais je dois être de retour en Grande-Bretagne avant demain

**I'm afraid my flight / train is at 11 am**
Malheureusement mon vol / mon train est à onze heures

**I really am very tired, I think I'll have to rest tonight**
Je suis très fatigué, je crois que je vais me reposer ce soir

**It's very kind of you but I'm afraid I'll have to refuse**
C'est très aimable à vous mais je vais devoir décliner votre invitation

**I already have an appointment at that time**
Je suis pris à cette heure

# Management Accounts,
## comptabilité de gestion

*see also Accounts, Figures*

**Looking at the Figures**

**The monthly figures show ...**
Les chiffres mensuels indiquent ...

**Expenditure is 15% over target**
Les dépenses sont supérieures de quinze pour cent aux objectifs

**We expected to reach 1 million but achieved only 750,000**
Nous espèrions atteindre le million mais n'avons réalisé que 750 000

**A 5% increase in staff costs was projected but so far this year the increase has only been ...**
Selon les prévisions le coût du personnel devait augmenter de cinq pour cent, mais l'augmentation pour cette année n'a été jusqu'ici que de ...

**We were aiming to keep the overheads down to ..., but ...**
Notre objectif était de maintenir les frais généraux au niveau de ..., mais ...

**I see that you budgeted 520,000 FF for ...**
Je vois que vous avez inscrit 520 000 FF au budget pour ...

**... but the actual cost has been ...**
... mais le coût réel a été de ...

**Why is ... above / below target?**
Pourquoi le / la ... dépasse / n'a pas atteint les objectifs?

**The change in the market was expected to affect sales and so far the results are 10% down**
Nous nous attendions à ce que les ventes soient affectées par la nouvelle orientation du marché; jusqu'ici les résultats sont inférieurs de dix pour cent par rapport à l'année dernière

**The sales forecast was for 200 units sold / 10 new contracts in the quarter and so far the division has achieved . . .**
Les prévisions indiquaient la vente de deux cent unités / dix nouveaux contrats pour le trimestre; jusqu'ici, la division a réalisé . . .

**Why is the revenue from . . . not as high as expected?**
Pourquoi les recettes provenant de . . . ne sont-elles pas aussi élevées que prévu?

**Penetration of the new sector is better / worse than expected**
L'implantation sur le nouveau secteur est meilleure / moins bonne que prévu

**Do you expect an improvement in the figures during the next quarter?**
Est-ce que vous vous attendez à ce que les chiffres s'améliorent au cours du trimestre prochain?

**The figure for . . . is worse than expected. This is due to . . .**
Le chiffre pour . . . est plus mauvais que prévu. C'est dû à . . .

## Commenting on Ratios

**Fixed asset turnover is over 20%**
Le roulement des biens immobilisés dépasse vingt pour cent

**Long term debt is increasing**
Les dettes à long terme sont en augmentation

**Turnover is much higher than last year but the profit margin has stayed constant / has declined**
Le chiffre d'affaires est beaucoup plus élevé que l'année dernière mais la marge bénéficiaire est restée la même / a baissé

**Return on investment is only 7%**
Le rendement du capital investi n'est que de sept pour cent

**The gross margin has declined because the cost of sales is increasing**
La marge brute est en baisse parce que le coût des ventes est en augmentation

**The net operating margin is 1.2%. A decline in prices would be dangerous**
La marge d'exploitation est de un virgule deux pour cent. Une baisse des prix serait dangereuse

**The figures should be adjusted to take account of . . .**
Les chiffres devraient être ajustés pour prendre en compte . . .

**The acid test (the quick asset ratio) shows that the company would have trouble repaying debt**
Le ratio de trésorerie immédiate indique que la société aurait des difficultés à rembourser ses emprunts

**Working capital was increased by selling a site in the north**
Les fonds de roulement ont été augmentés grâce à la vente d'un site dans le nord

**The cash flow projection indicates a problem in November and December**
Des prévisions pour le cash flow signalent un problème en novembre et en décembre

**Stock turnover is 7.2. This is quite good for the sector**
La vitesse de rotation des stocks est de sept virgule deux; ce n'est pas mal pour ce secteur

**The return on sales is below target**
La rentabilité des ventes se situe au-dessous des objectifs

**Current asset turnover is . . .**
Le roulement de l'actif circulant est . . .

**The current ratio is 1.1; it has declined by 0.2 compared with last year. There has been an increase in the number of creditors**
Le coefficient de liquidité est de un virgule un. Il est en baisse de zéro virgule deux sur l'année précédente

**The liquidity ratio is . . .**
Le ratio de liquidité générale est de . . .

**Operating costs are very high**
Les charges d'exploitation sont très élevées

**It would be necessary to reduce overheads**
Il serait nécessaire de réduire les frais généraux

**Margins are lower than expected**
Les marges sont plus faibles que prévu

**The collection period is 55 days**
La période de recouvrement est de cinquante-cinq jours

**The quick asset ratio is 0.7. Current assets appear healthy but stock levels are very high and I expect current liabilities to increase**

Le ratio de trésorerie immédiate est de zéro virgule sept. L'actif circulant est en bonne santé mais le niveau des stocks est élevé et le passif à court terme devrait augmenter

**Sales are on target but overheads are higher than expected**

Les ventes ont atteint les objectifs mais les frais généraux sont plus élevés que prévu

## Breakevens

**When would the project reach breakeven?**

Quand le projet doit-il atteindre le seuil de rentabilité?

**What does the breakeven analysis indicate?**

Qu'est-ce que l'étude du point mort indique?

**I must query the figures for . . .**

Je dois vous demander des explications sur les chiffres pour . . .

**The breakeven analysis shows that:**

L'étude de seuil du rentabilité indique que:

- **a high sales volume will be necessary for breakeven. Can the market sustain this volume?**
- un gros volume de ventes sera nécessaire pour atteindre le point mort; est-ce que la demande sera assez soutenue?

- **breakeven will take several years. Are we sure that all the factors will remain constant?**
- atteindre le point mort demandera plusieurs années; sommes-nous sûrs que tous les facteurs resteront constants?

- **it will take a considerable increase in activity to reach breakeven. Can this be achieved with present staffing levels?**
- l'activité devra augmenter de manière significative si nous voulons atteindre le point mort. Est-ce qu'on peut y arriver avec les effectifs actuels?

# Meeting Visitors, rencontrer
## des visiteurs

*see also Introductions, Tours, Visits*

## Meeting Visitors

**Hello, are you Mr Delay?**
Bonjour, vous êtes bien Monsieur Delay?

**Hello, I'm John Grayson from Transmac Ltd. Are you waiting for me?**
Bonjour, John Grayson de Transmac Limited. Est-ce moi que vous attendez?

**Hello, Ms Proudy? I'm John Grayson, from Transmac Plc, I've come to meet you**
Bonjour Madame, John Grayson de Transmac Plc. Je viens vous chercher

**How are you?**
Comment allez-vous?

**Did you have a good journey?**
Vous avez fait bon voyage?

**Is this your luggage?**
Est-ce que ce sont vos bagages?

**Can I carry something for you?**
Est-ce que je peux vous aider à porter quelque chose?

**Do you have any luggage?**
Est-ce que vous avez des bagages?

**Have you eaten?**
Vous avez mangé?

**Would you like something to eat before we go to my office?**
Voulez-vous manger quelque chose avant que nous allions dans mon bureau?

**Would you like something to drink before we start?**
Voudriez-vous boire quelque chose avant de commencer?

**The car is over there**
La voiture est là-bas

**Would you like to go to the hotel to leave your luggage?**
Voudriez-vous aller déposer vos bagages à l'hôtel?

**Would you like to go to your hotel first? It's not far**
Voulez-vous passer d'abord à votre hôtel? Il n'est pas loin d'ici

**This is your hotel. I'll pick you up in my car tomorrow at 10 am**
Voici votre hôtel. Je viendrai vous prendre en voiture à dix heures demain matin

**. . . at 8 pm and we'll go for dinner**
. . . à vingt heures et nous irons dîner ensemble

## Replies

**Oh, pleased to meet you Mr Grayson**
Enchanté de faire votre connaissance Monsieur Grayson

**How are you?**
Comment allez-vous?

- **I'm very well thank you**
- Je vais très bien merci

126

- **I'm rather tired, it was a long trip**
- Je suis assez fatigué, le voyage a été long

- **The flight / train was delayed, I'm rather tired**
- Le vol / le train a eu du retard, je suis assez fatigué

- **I think I've got 'flu**
- Je crois que j'ai la grippe

- **I've picked up some sort of bug**
- J'ai attrapé un virus quelconque

- **I feel ill, I think there was something wrong with the food on the plane / the train**
- Je ne me sens pas bien, il devait y avoir quelque chose dans ce que j'ai mangé dans l'avion / le train

- **Is there a chemist's near?**
- Est-ce qu'il y a une pharmacie près d'ici?

**Is there a phone near here? I have to ring my secretary**
Est-ce qu'il y a un téléphone près d'ici? Je dois téléphoner à ma secrétaire

**Can we go to the hotel straight away / first?**
Est-ce que nous pouvons aller à l'hôtel tout de suite / d'abord?

**Can we have a snack? I haven't eaten since I left**
Est-ce que je peux manger quelque chose? Je n'ai rien pris depuis que je suis parti

**Can I have a quick drink? I'm very thirsty**
J'ai très soif, est-ce que je peux boire quelque chose?

# Meetings, rendez-vous

*see also Appointments, Negotiations, Telephoning*

## Arranging a Meeting

**Could we meet to discuss this?**
Est-ce que nous pourrions nous voir pour en discuter?

**Could we meet at . . . (place) on . . . (date) at . . . (time) to discuss . . .?**
Est-ce que nous pourrions nous voir à . . . (lieu) le . . . (date) à . . . (heure) pour discuter de . . .?

**Would you be able to come to a meeting?**
Est-ce que vous pourriez venir / assister à une réunion?

**I could meet you at . . . (place) on . . . (date) at . . . (time)**
Je pourrais vous recontrer à . . . (lieu), le . . . (date), à . . . (heure)

**The meeting will be about . . . (our advertising campaign)**
La réunion portera sur . . . (notre campagne publicitaire)

**We will be meeting to discuss . . .**
Nous nous réunirons pour discuter de . . .

**What would be the most suitable date and time?**
Quels sont les date et lieu qui vous conviendraient le mieux?

**I'll ask . . . (our production manager) to be there as well**
Je demanderai à . . . (notre directeur de production) de venir également

**I'd prefer to meet at . . . (place) on . . . (date)**
Je préférerais que nous nous voyions à . . . (lieu), le . . .
(date)

**I will send you directions and a copy of:**
Je vous enverrai des indications et un exemplaire de :

- **the agenda / documents**
- l'ordre du jour / des documents

- **the minutes of the last meeting / of the report on the last meeting**
- du procès-verbal de la dernière réunion / du compte rendu de la dernière réunion

## General Questions about the Meeting

**Is the meeting on . . . (date) going ahead as planned?**
Est-ce que la réunion du . . . (date) est toujours prévue
pour cette date ?

**Will this be a regular meeting?**
Est-ce que nous nous réunirons régulièrement ?

**Who else will be there?**
Qui d'autre sera présent ?

**You meet on the first Friday of each month, don't you?**
Vous avez une réunion le premier vendredi de chaque
mois, n'est-ce pas ?

**Could you send me a location map?**
Est-ce que vous pourriez m'envoyer un plan ?

**Can you send me a copy of the agenda and any other documents relating to the meeting?**
Pourriez-vous m'envoyer un exemplaire de l'ordre du
jour et tout document ayant rapport avec la réunion ?

## Arriving for a Meeting

**Good morning, I've come for the . . . meeting / I have a meeting with . . .**
Bonjour Monsieur / Madame. Je viens pour la réunion de . . . / J'ai rendez-vous avec . . .

**Good morning, Ms Paollotta is expecting me**
Bonjour, Monsieur / Madame. Madame Paollotta m'attend

**Hello, can you tell me where the meeting of . . . / about . . . is being held please?**
Bonjour Monsieur / Madame, est-ce que vous pouvez m'indiquer où a lieu la réunion de . . .?
*See also* **Appointments, Directions, Introductions, Meetings**

## Starting a Meeting

*formal*

**Good morning / Good afternoon / Good evening ladies and gentlemen, thank you for coming**
Mesdames, messieurs, bonjour / bonsoir. Je vous remercie de votre présence

**I'm pleased to see you all here**
Je suis heureux de vous voir tous présents ici

**If everyone is here I'd like to start the meeting now please**
Si tout le monde est arrivé j'aimerais commencer tout de suite

**Can I introduce Mr Perez?**
Je vous présente Monsieur Perez

**I'm pleased to welcome Mr Perez to the meeting**
Je suis heureux d'accueillir Monsieur Perez

**Has everyone got a copy of the agenda?**
Est-ce que tout le monde a en main un exemplaire de
l'ordre du jour?

**Has everyone got a copy of the report?**
Est-ce que tout le monde a un exemplaire du rapport?

**This meeting was called to discuss . . . / to reach a
decision on . . .**
Nous sommes réunis ici pour discuter de . . . / pour
décider de . . .

*informal*

**Can we start with the question of . . .?**
Pouvons-nous commencer par la question de . . .?

**I would like to start by:**
J'aimerais tout d'abord:

- **outlining the situation**
- vous présenter rapidement la situation

- **giving my analysis of the report**
- vous faire part de mon analyse du rapport

- **presenting the figures for . . .**
- donner les chiffres pour . . .

- **asking Ms Glock to present her analysis of the
  situation**
- demander à Madame Glock de présenter son
  analyse de la situation

**Let's take the first item on the agenda**
Prenons le premier point de l'ordre du jour

**Alex, would you like to say something?**
Alex, est-ce que vous voulez dire quelque chose?

**Yes . . ., have you a point you would like to make?**
Oui . . ., est-ce que vous voulez intervenir?

**It seems to me that this is important. How does everyone feel about it?**
Je crois que c'est important. Qu'en pensez-vous tous?

**My opinion is . . . What do you think?**
Selon moi . . . Qu'est-ce que vous en pensez?

**Can we have everybody's opinion about . . .?**
Quel est votre avis, à vous tous, sur . . .?

## Discussions / Debates

*raising a point*

**I'd like to point out that . . .**
Je voudrais faire remarquer que . . .

**Can I make a point here?**
Est-ce que je peux intervenir?

**I'd like to say that . . .**
Je voudrais dire que . . .

**May I raise a question here?**
Vous permettez que je soulève une question?

**I'd like to ask . . . (Mr Dupont) . . .**
Je voudrais demander à . . . (Monsieur Dupont) . . .

**I'd like to have some clarification on the point raised by Ms Solé**
J'aimerais quelques éclaircissements sur la remarque de Madame Solé

**I haven't understood the point that Mr Potet made**
Je n'ai pas tout à fait compris la remarque faite par
Monsieur Potet

**I'm sorry, I don't follow**
Excusez-moi, mais je ne vous suis pas

**I'd like to make a point here**
Je voudrais intervenir

**Can I say that . . .**
Je voudrais dire que . . .

**In my opinion . . .**
A mon avis . . .

**Can I make a suggestion?**
Est-ce que je peux faire une suggestion?

**I must point out that . . .**
Je dois vous préciser que . . .

*asking for further contributions*

**Has anyone anything to say on this?**
Quelqu'un a-t-il quelque chose à dire à ce sujet?

**Do you wish to add something?**
Voulez-vous ajouter quelque chose?

**Does everyone agree?**
Est-ce que tout le monde est de cet avis?

**Does anyone disagree?**
Quelqu'un n'est-il pas d'accord?

**Would anyone like to develop that point?**
Quelqu'un voudrait-il développer ce point?

**Can we come back to that point later?**
Est-ce que nous pouvons revenir là-dessus plus tard?

*objecting / disagreeing*

**That's true, but you must also agree that . . .**
C'est vrai, mais vous devez convenir que . . .

**That's partly true**
C'est en partie exact

**I can't agree**
Je ne suis pas d'accord

**I can't go along with that**
Je ne suis pas de cet avis

**I don't think that's a fair assessment**
Je ne pense pas que ce soit une analyse exacte

**I don't think that takes account of . . .**
Je ne pense pas que cela prenne en compte . . .

**I think that we must remember / keep in mind . . .**
Je pense que nous devons nous rappeler / garder à l'esprit . . .

**Surely we should also consider . . .?**
Ne devrions-nous pas considérer . . .?

**No, I don't think that is possible**
Non, je ne crois pas que ce soit possible

**With all due respect . . .**
Avec tout le respect que je vous dois . . .

*agreeing*

**Yes, exactly**
C'est cela même

**I accept your point**
Je suis d'accord avec ce que vous dites

**I'd like to second that proposal**
Je soutiens totalement cette proposition

**I agree**
Je suis d'accord

**Yes, I think that we should . . .**
Ou, je crois que nous devrions . . .

**I'll support that**
Je suis tous à fait de ce point de vue

**Yes, let's do that**
Oui, c'est entendu

**I think that's a fair assessment**
Je crois que c'est une bonne appréciation

**That seems to be the best solution**
Il me semble que ce soit la meilleure solution
*See also* **Agreeing**

*summing up*

**To sum up then**
Alors, pour nous résumer

**Right, I think we are all in agreement**
Bon, je crois que nous sommes tous d'accord

**To sum up the main points in our discussion . . .**
Pour récapituler les grandes lignes de notre
discussion . . .

**We seem to have reached agreement on the main points**
Il me semble que nous nous sommes mis d'accord sur les
grandes lignes

**So, we've discussed . . . and most of us feel that . . .**
Alors, nous avons discuté de . . . et dans l'ensemble nous
pensons que . . .

**Are we all agreed?**
Est-ce que nous sommes tous du même avis?

## *closing the meeting*

**I think that's everything. Does anyone want to discuss
any other points?**
Je pense que nous avons fait le tour. Est-ce que
quelqu'un veut discuter d'autres questions?

**Is there anything else you want to discuss now?**
Est-ce qu'il y a quelque chose dont vous voulez discuter
maintenant?

**Can I close the meeting?**
Est-ce que je peux lever la séance?

**Have we all finished?**
Est-ce que nous avons terminé?

**I think we've covered everything now,**
Je pense que nous avons traité de toutes les questions,

**. . . can we just check the points we've agreed on?**
. . . est-ce que je peux vous rappeler les points sur
lesquels nous nous sommes mis d'accord?

**Well, I think that's all, thank you very much for your contributions**
Eh bien, je pense que c'est tout. Je vous remercie de votre contribution

**We can consider the meeting closed**
La réunion est terminée, je vous remercie mesdames, messieurs

**I declare the meeting closed** *(formal)*
La séance est levée *(formal)*

**I think that was a useful discussion**
Je pense que cela a été une discussion très utile

**Thank you all for coming**
Je vous remercie de votre présence

**Thank you for coming to the meeting Mr Sadi, I think your presence has been most helpful**
Monsieur Sadi, je vous remercie de votre présence qui a été très utile

*leaving the meeting – actions*

**Well, I think that's everything – thank you very much for your time**
Eh bien, je crois que c'est tout – je vous remercie d'être venus

**I'll look at the questions you raised and let you know the answers as soon as I can**
J'examinerai la question que vous avez soulevée et vous donnerai le résultat aussitôt que possible

**So, we've agreed to . . .**
Alors, nous avons convenu de . . .

**I'll send you a copy of . . .**
Je vous enverrai un exemplaire de . . .

**I'll look forward to hearing from you soon about . . .**
J'espère que vous me contacterez bientôt au sujet de . . .

**I'll be in touch with you shortly**
Je vous contacterai sous peu

**Well goodbye, I'll write to you about . . .**
Eh bien, au revoir, je vous écrirai au sujet de . . .

# **Negotiations,** négociations

**General Problem Solving**

*opening statements*

**What's the problem?**
Quel est le problème?

**What's your view of the situation?**
Que pensez-vous de la situation?

**I think that . . .**
Je pense que . . .

**I don't agree with you**
Je ne suis pas de votre avis

**I object to (offering customer discounts) because . . .**
Je suis opposé à (ce que l'on propose des remises aux clients) parce que . . .

**I don't want to . . . because . . .**
Je ne veux pas . . . parce que . . .

**My reason for disagreeing is that . . .**
Je ne suis pas d'accord parce que . . .

**My point of view is based on . . .**
Mon opinion est fondée sur . . .

**Personally, I think that . . .**
Personnellement je pense que . . .

**If we agreed to . . ., would that help?**
Si nous acceptions de . . ., est-ce que cela vous arrangerait?

**I appreciate your problem / position**
Je comprends votre problème / position

**I'm sorry, I can't agree with your decision**
Je regrette mais je ne peux pas accepter votre décision

**I can see your point of view**
Je comprends votre point de vue

**I understand how you feel**
Je comprends votre réaction

**I can't accept that. Personally I feel . . .**
Je refuse. Personnellement je pense que . . .

**I see the problem differently**
Je vois le problème sous un autre angle

**Our position is that we think the contract should . . .**
Nous pensons pour notre part que le contrat devrait . . .

**I have to take into account . . .**
Je dois prendre en compte . . .

*probing*

**What do you mean by '. . .'?**
Qu'est-ce que vous entendez par '. . .'?

**What do you mean when you say . . .?**
Qu'est-ce que vous voulez dire quand vous dites . . .?

**How would you feel if I offered . . .?**
Que diriez-vous si je proposais de . . .?

**Don't you think that it would be possible to . . .?**
Ne croyez-vous pas qu'il serait possible de . . .?

**Can you suggest a compromise?**
Pouvez-vous suggérer un compromis?

**I don't quite understand**
Je ne comprends pas très bien

**Can you clarify your position?**
Est-ce que vous pouvez expliquer votre position?

**Why do you want . . .?**
Pourquoi voulez-vous . . .?

**Does this mean . . .?**
Est-ce que cela veut dire . . .?

**Do you have any evidence?**
Est-ce que vous pouvez avancer des preuves?

**How did you get the information?**
Comment avez-vous obtenu ces renseignements?

**Are you sure?**
Etes-vous bien sûr?

**I can't see how your position ties up with . . .**
Je ne vois pas comment votre position s'accorde avec . . .

**Before we discuss this point I'd like to be sure about your position on . . .**
Avant de discuter de cette question, je voudrais bien comprendre votre position au sujet de . . .

**Can I just check a point you made earlier?**
Est-ce que je peux revenir sur ce que vous avez dit plus tôt?

**So what you mean is . . .**
Alors ce que vous voulez dire, c'est . . .

**Are you sure that that is the only way?**
Etes-vous sûr que ce soit la seule façon?

**I am sure that you could . . . instead**
Je suis sûr que vous pourriez . . . à la place

**An alternative would be to . . .**
Autrement, il serait possible de . . .

**Wouldn't it be possible for you to . . .?**
Est-ce qu'il ne vous serait pas possible de . . .?

**I take it that you have no objection to my . . . (checking your information)?**
Si je comprends bien vous ne voyez pas d'inconvénient à ce que . . . (je vérifie vos informations)?

**Can I just summarise our positions as I see them?**
Est-ce que je peux résumer nos positions respectives telles que je les vois?

*towards agreement*

**We could agree to . . . if you were willing to . . .**
Nous pourrions nous mettre d'accord pour . . . si vous étiez disposés à . . .

**Is there any way of changing / modifying . . .?**
Est-ce qu'il y aurait moyen de changer / modifier . . .?

**Would it help if we offered to . . .?**
Est-ce que cela vous arrangerait si nous offrions de . . .?

**If I agreed to . . . (modify the conditions), would you find that more acceptable?**
Si j'acceptais de . . . (modifier les conditions), est-ce que cela vous conviendrait mieux?

**On my side I could . . . if you could (find a way to . . .)**
De mon côté je pourrais . . . si vous pouviez (trouver le moyen de . . .)

**Well then, let me suggest that . . .**
Alors, je suggérerais que . . .

**Can I suggest . . .?**
Puis-je suggérer . . .?

**I could offer to . . .**
Je pourrais vous proposer de . . .

**Are you prepared to accept . . .?**
Pensez-vous pouvoir accepter . . .?

**Do you see my point?**
Voyez-vous ce que je veux dire . . .?

**Can I take it that you agree?**
Est-ce que je peux en conclure que vous êtes d'accord?

**You can see my position, can't you?**
Vous comprenez ma position, n'est-ce pas?

**Can you understand my point of view?**
Est-ce que vous comprenez mon point de vue?

**Do you accept that?**
Est-ce que vous êtes d'accord?

**You're right**
Vous avez raison

**You have a point**
Vous avez raison sur ce point

**I think I can accept that**
Je suis d'accord là-dessus

**Let's discuss your point about . . .**
Discutons de la remarque que vous avez faite sur . . .

**I think we've made some progress**
Je crois que nous avons avancé

**Do you think that's acceptable?**
Pensez-vous que ce soit acceptable?

*a solution*

**Good, I think we have an agreement**
Bon, je crois que nous sommes arrivés à un accord

**Fine, I think we're all agreed now**
Bon, je crois que nous sommes tous d'accord maintenant

**Let's shake hands on it!**
L'affaire est conclue!

**I think we've reached a compromise**
Je crois que nous sommes arrivés à un compromis

**That's acceptable**
C'est acceptable

**I think that's fair to both sides**
Je pense que les deux parties y trouveront leur compte
*(slightly familiar)*

**Are you happy with that?**
Est-ce que cela vous satisfait?

**So, can I just confirm that we've agreed to . . .**
Alors, pour récapituler, nous avons convenu de . . .

**Well, thank you very much, I'm glad we've reached an agreement**
Eh bien, merci, je suis content que nous soyons arrivés à un accord

**Thank you very much for being open with me**
Je vous remercie de votre franchise

**I'm glad we've settled that**
Je suis content que nous ayons réglé ce problème

## A Brief Business Negotiation – Trying to Obtain a Contract

*opening statements*

**I'd just like to discuss the terms of our bid**
Je voudrais simplement discuter les conditions de notre offre

**If I understand the position correctly . . .**
Si je comprends bien la situation . . .

**This is the position at the moment . . .**
Voici la situation actuelle . . .

*probing*

**Your present supplier is . . ., isn't it?**
Votre fournisseur actuel est . . ., n'est-ce pas?

**As I understand it, you . . .**
Si je comprends bien, vous . . .

**Are you happy with your present supplier / the product you use at the moment?**
Etes-vous satisfaits de votre fournisseur actuel / du produit que vous utilisez en ce moment?

**How does our offer / quote / bid compare with the others you've received?**
Comment trouvez-vous notre offre / notre devis par rapport aux autres que vous avez reçu(e)s?

**Which points are you unhappy about?**
Quels sont les points qui vous gênent?

**I understand you were not happy with . . .**
D'après ce que je comprends vous n'étiez pas satisfait de . . .

**If I could arrange:**
S'il m'était possible d'arranger:

- **a price reduction**
- une remise

- **an earlier delivery date**
- que la livraison ait lieu plus tôt

- **staged payments**
- que les paiements soient étalés

- **payment at 120 days instead of 60**
- que le réglement soit effectué à cent vingt jours au lieu de soixante

- **delivery (and installation) free of charge**
- la livraison (et l'installation) gratuite(s)

**. . . would you be able to place an order?**
. . . est-ce que vous seriez en mesure de passer commande?

**Let's discuss where the offer could be modified**
Discutons des modifications que nous pourrions apporter à notre proposition

**I'm sure you'll agree that the price is / the terms are reasonable / attractive**
Vous m'accorderez que le prix / les conditions sont raisonnable(s) / avantageux(euses)

**Can I ask why the delivery date is so important?**
Est-ce que je peux vous demander pourquoi il vous faut la livraison à cette date?

**Are you sure you need this model rather than the one we could deliver at once?**
Vous êtes bien sûr de vouloir ce modèle plutôt que celui que nous pourrions livrer immédiatement?

**Would it help if we went over the financing we proposed again?**
Est-ce qu'il serait utile de revenir sur le plan de financement que nous avons proposé?

**Perhaps we could reexamine the terms of payment**
Nous pourrions peut-être étudier à nouveau les conditions de paiement

**You place me in a difficult position**
Vous me placez dans une situation délicate

**My hands are tied and I'm afraid I can't change the offer any further**
Je ne suis pas libre de faire ce que je veux et je ne peux malheureusement plus modifier mon offre

**I wish I could offer a better discount but demand is very high at present**
Je voudrais pouvoir vous offrir une remise plus importante mais la demande est très soutenue en ce moment

**I also have to take into account . . .**
Je dois également prendre en compte . . .

**I'm quite willing to look at this from another angle**
Je suis tout à fait disposé à considérer la question sous un autre angle

**Do you really need the whole order delivered at once / at the same time?**
Est-ce qu'il faut vraiment que toute la commande vous soit livrée immédiatement / en une seule fois?

**Perhaps we could spread the deliveries**
Nous pourrions peut-être échelonner les livraisons

**I could offer . . . if that would help you reach a decision**
Je pourrais vous proposer . . . si cela pouvait vous aider à prendre une décision

**How would you feel if I proposed . . .?**
Quelle serait votre réaction si je proposais . . .?

*solution*

**Yes, that's more attractive**
Oui, c'est plus intéressant

**That's helpful**
Cela nous arrange

**So, taking into account your situation we are prepared to . . .**
Alors, nous avons pris en compte votre situation et nous sommes disposés à . . .

**We're agreed then**
Alors, nous nous sommes mis d'accord

**Can I just check the points we've agreed on?**
Est-ce que je peux revenir sur les points sur lesquels nous nous sommes mis d'accord?

**I'll have the contract amended and will return it to you for signature**
Je ferai modifier le contrat et vous le renverrai pour que vous le signiez

**Would you like to sign here and I'll be able to start making arrangements straight away?**
Est-ce que vous voulez signer ici? Je pourrai ainsi commencer à faire le nécessaire

**It's been a pleasure doing business with you. I look forward to receiving confirmation of the order**
J'ai été heureux de traiter avec vous et j'espère recevoir confirmation de la commande

**I'll let you have a summary of the points we agreed as soon as possible**
Je vous ferai parvenir aussitôt que possible un résumé des points sur lesquels nous nous sommes mis d'accord

**Thank you for being so helpful, goodbye**
Je vous remercie de votre aide, au revoir

# Organisation Structure,
## structure de l'entreprise

*see also Describing*

### Describing the Structure

**It's a very flat organisation**
Il y a peu de hiérarchie

**The company is very hierarchical**
La société est très structurée

**The board meets on the first Monday of each month**
Le conseil d'administration se réunit le premier lundi de chaque mois

**There are 5 branches and 9 departments**
Il y a cinq branches et neuf départements

**The managers of the main divisions are on the board**
Les directeurs des grandes divisions font partie du conseil d'administration

### Job Relationships

**John works for . . .**
John travaille pour . . .

**He is Peter Smith's assistant**
C'est l'adjoint de Peter Smith

**She reports to . . .**
Elle est sous les ordres directs de . . .

**He is responsible for . . .**
Il est chargé de . . .

**Lillian Peters manages the PR department**
Lillian Peters est responsable de la section relations publiques

**She is part of John's team**
Elle fait partie de l'équipe de John

**John is in my sales support team**
John fait partie de mon équipe de commerciaux

**This is Mary's PA**
Voici la secrétaire personnelle de Mary

**He is a budget holder**
Il gère un budget

**The department is a separate cost centre**
Le département est un centre de coûts indépendant

**He's in the finance department**
Il travaille dans la section des finances

**They work under the supervision of the production manager**
Ils travaillent sous la direction du directeur de production

**I'm in the advertising department**
Je travaille dans le département de publicité

**I run the marketing department and I report to the director of commercial operations**
Je suis responsable du département de marketing et je suis sous les ordres du directeur commercial

**Her job is to monitor progress on the major orders**
Elle est responsable du contrôle de l'exécution des commandes importantes

**He looks after exhibitions and marketing events**
Il s'occupe des expositions et des événements de marketing

## AN ORGANISATION CHART – l'ORGANIGRAMME

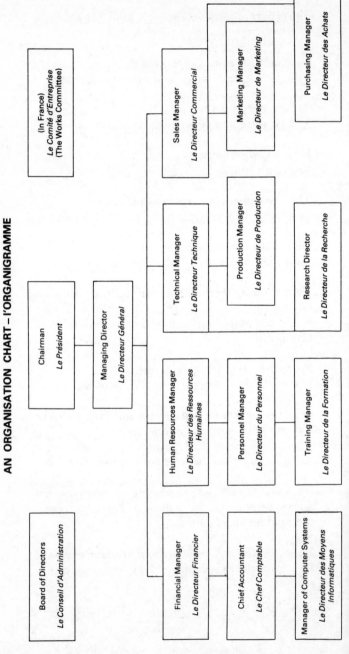

Board of Directors
*Le Conseil d'Administration*

Chairman
*Le Président*

Managing Director
*Le Directeur Général*

(In France)
*Le Comité d'Entreprise*
(The Works Committee)

Financial Manager
*Le Directeur Financier*

Chief Accountant
*Le Chef Comptable*

Manager of Computer Systems
*Le Directeur des Moyens Informatiques*

Human Resources Manager
*Le Directeur des Ressources Humaines*

Personnel Manager
*Le Directeur du Personnel*

Training Manager
*Le Directeur de la Formation*

Technical Manager
*Le Directeur Technique*

Production Manager
*Le Directeur de Production*

Research Director
*Le Directeur de la Recherche*

Sales Manager
*Le Directeur Commercial*

Marketing Manager
*Le Directeur de Marketing*

Purchasing Manager
*Le Directeur des Achats*

# Business Presentations,
## présentations

*see also Accounts, Describing, Meetings*

### Starting the Presentation

**Good morning ladies and gentlemen**
Bonjour mesdames et messieurs

**Good morning everybody**
Bonjour à tous

**Thank you for coming**
Je vous remercie de votre présence

**I'm very pleased to be able to welcome Max . . .**
J'ai le plaisir d'accueillir Max . . .

**. . . who is going to speak to us about . . .**
. . . qui va nous parler de . . .

**Thank you for inviting me here**
Je vous remercie de m'avoir invité

**Before I start can I just check that everyone has a copy of . . .**
Avant de commencer je voudrais vérifier que tout le monde a bien un exemplaire de . . .

**Can I give everyone a copy of this document before we start?**
Avant de commencer je voudrais distribuer un exemplaire de ce document

**Has everyone a copy?**
Est-ce que tout le monde a un exemplaire?

**Can we start?**
Est-ce que nous pouvons commencer?

## Introducing Yourself / Credentials

**Before we start, let me introduce myself**
Avant de commencer, permettez-moi de me présenter

**My name is ... and I am ... / I've come from ...**
Je m'appelle ... et je suis ... / je viens de ...

**I work for ... / I work in ...**
Je travaille chez ... / je travaille dans le secteur de ...

**As you may know I've been working on ... (project)**
Vous le savez peut-être, je travaille à ... (projet)

**I'm director of development**
Je suis le directeur du développement

**I am responsible for ... at ...**
Je suis responsable de ... à ...

**I spent some time with ... and now I'm ...**
J'ai passé quelque temps chez ... et je travaille
maintenant ...

**I represent ...**
Je représente ...

## The Aim of the Presentation

**I have been invited here to talk about ...**
J'ai été invité pour vous parler de ...

**I have come here to ...**
Je suis ici pour ...

**What I want to do today is to present / show / discuss / comment on ...**
Ce que je voudrais faire aujourd'hui c'est présenter /
montrer / discuter de / commenter ...

**I want to cover a few points in the report**
Je voudrais commenter quelques points du rapport

**I would like to outline the main features of / the advantages of the services which we can offer**
Je voudrais présenter rapidement les principales
caractéristiques / les bénéfices des services que nous
proposons

**I would like to explain ...**
Je voudrais expliquer ...

## The Plan

**My presentation will cover the following points**
Ma présentation traitera des points suivants

**The first point I would like to cover is ...**
Le premier point que je voudrais considérer est ...

**Secondly (in the second place) I want to consider ...**
Deuxièmement (en deuxième lieu) je voudrais
examiner ...

**Then I will deal with ...**
Je traiterai ensuite de ...

**After that / Next I will look at the problem of ...**
Après quoi je me pencherai sur le problème de ...

**Finally, I want to summarise / I want to draw some conclusions from my talk**
Enfin je voudrais résumer / tirer quelques conclusions de
ce que j'aurai dit

**Finally I want to show the way in which this system
could apply to your company**
Pour terminer, je voudrais vous montrer comment vous
pourriez adapter ce système à votre société

**If you have any questions during the presentation
please stop me**
Si, au cours de la présentation, vous avez des questions à
poser, n'hésitez pas à m'arrêter

**Can I ask you to save your questions until I have
finished?**
Est-ce que je peux vous demander de réserver vos
questions pour la fin?

## The Presentation

*the start*

**To begin with . . .**
Pour commencer . . .

**Let us start by (looking at) . . .**
Commençons par (examiner) . . .

**Let me remind you of the situation**
Permettez-moi de vous rappeler la situation

**I would like to begin by making a few remarks on . . .**
Je voudrais commencer par quelques remarques sur . . .

*a report, a plan*

**I have here the (figures for) . . .**
Voici les (chiffres de) . . .

**On the OHP I have displayed . . .**
Sur le rétroprojecteur je vous ai mis . . .

**This slide shows . . .**
Cette diapositive montre . . .

**On the board I have written . . .**
J'ai écrit sur le tableau . . .

**I'd just like to ask you to look at this video**
Je vous demanderais de regarder ce film

**Let us look at page (6) of the report**
Si vous voulez regarder la page (six) du rapport

**The figures for . . . show (that) . . .**
Les chiffres de . . . montrent (que) . . .
*See also* **Figures**

**The results show . . .**
Les résultats indiquent . . .

**I think that a number of factors contribute (have contributed) to . . .**
Je crois qu'un certain nombre de facteurs contribuent (ont contribué) à . . .

**Let us remember the facts . . .**
Rappelons les faits . . .

*a product*

**I would like to talk about . . .**
Je voudrais vous parler de . . .

**We developed the machine in response to a growing demand for . . .**
Nous avons mis au point cette machine pour répondre à la demande croissante pour . . .

**. . . after research into . . .**
. . . après une étude de . . .

**We at Parker Plc believe that this is the best product available**
Nous pensons ici à Parker Plc que c'est le meilleur produit sur le marché actuellement

**Let me illustrate what I have said by quoting some of:**
Je vais vous illustrer ce que je vous ai dit en vous donnant:

- **the specifications**
- les spécifications

- **the performance characteristics**
- les performances

**One of the main advantages of the system is . . .**
L'un des grands avantages du système est . . .
*See also* **Describing**

*a service*

**The service offers . . .**
Le service propose . . .

**One of the main features of our service is . . .**
Notre service a pour caractéristique principale de . . .

**What could our service offer your company? Well . . .**
En quoi notre service pourrait-il être utile à votre société? Eh bien . . .

**Our service is based on:**
Notre service est basé sur:

- **careful research into customers' needs**
- une étude minutieuse des besoins du client

- **good after sales support**
- un bon service d'après-vente

- **constant liaison with the customer**
- une liaison permanente avec le client

### *finishing part of the presentation*

**There are a number of interesting points to make here**
Nous avons ici un certain nombre de remarques
intéressantes

**I shall come back to this point later**
Je reviendrai plus tard sur ce point

**I shall deal with this point in greater detail later**
Je m'étendrai sur ce point plus tard

**Are there any questions on what I have said so far?**
Est-ce qu'il y a des questions sur ce que j'ai dit jusqu'ici?

### *summary and conclusion*

**So to conclude I would like to say . . .**
Pour conclure, je voudrais dire . . .

**I think that my analysis shows that . . .**
Je pense que mon analyse montre que . . .

**I hope that this presentation has shown you . . .**
J'espère que cette présentation vous a montré . . .

**To sum up I feel that . . .**
Pour résumer je pense que . . .

**I hope that I have shown:**
J'espère que je vous ai montré:

- **the advantages we can offer**
- les avantages que nous proposons

- **the ways in which we could help you**
- les façons dont nous pouvons vous aider

- **the ways in which we could work together**
- comment nous pouvons collaborer

**Thank you very much for your attention**
Je vous remercie de votre attention

**Thank you very much for your time**
Je vous remercie de m'avoir consacré votre temps

**Once again, thank you for inviting me to speak to you**
Je vous remercie à nouveau de m'avoir invité

# Restaurants, restaurants

*see also Booking, Hotels*

## Arriving

**Have you got a table free?**
Est-ce que vous avez une table libre?

**Have you got a table for two please?**
Est-ce que vous avez une table pour deux s'il vous plaît?

**There are 5 of us**
Nous sommes cinq

**We'd like a table in a quieter part of the restaurant please**
Nous voudrions une table dans un coin plus tranquille du restaurant s'il vous plaît

**Have you got a table near the window?**
Est-ce que vous avez une table près de la fenêtre?

**Can we sit over there?**
Est-ce que nous pouvons nous asseoir là-bas?

**Are you still serving?**
Est-ce que vous servez toujours?

**What time do you close?**
A quelle heure fermez-vous?

**My name is Grant. I phoned to reserve a table**
Je suis Monsieur Grant. J'ai réservé une table par téléphone

**I'm dining with Mr Schuss. Could you tell me if he's arrived yet?**
Je dois dîner avec Monsieur Schuss. Pourriez-vous me dire s'il est déjà arrivé?

**I'm meeting Mr Schuss here. Can you tell me which table he's at?**
Je dois rencontrer Monsieur Schuss. Pouvez-vous m'indiquer à quelle table il se trouve?

**I'm expecting a guest, a Ms Crisante**
J'attends quelqu'un, du nom de Madame Crisante

## Dealing with the Waiter

**Waiter!**
Garçon! / Monsieur!

**Can we order drinks please?**
Nous voudrions prendre l'apéritif s'il vous plaît

**I won't order yet**
Je ne vais pas commander tout de suite

**I'm waiting for somebody**
J'attends quelqu'un

**Can we have the menu please?**
Est-ce que nous pouvons avoir la carte s'il vous plaît?

**Can we have a drink to start with?**
Est-ce que nous pouvons prendre l'apéritif d'abord?

**Can you tell me what this dish is please?**
Pouvez-vous me dire ce qu'est ce plat s'il vous plaît?

**We'll choose the dessert later**
Nous choisirons le dessert plus tard

**Have you got a wine list?**
Est-ce que vous avez une carte des vins?

**Can you put everything on my bill please?**
Pouvez-vous mettre tout cela à mon compte s'il vous plaît?

**I'm staying at the hotel; this is my room number**
J'ai une chambre à l'hôtel; mon numéro de chambre est le . . .

**I'll be paying by travellers' cheques / eurocheque / credit card**
Je vais payer par chèques de voyage / eurochèque / carte de crédit

**I'll have . . . and my guest will have . . .**
Je vais prendre . . . et mon invité prendra . . .

**We have to leave by 2 pm – what can you serve quickly?**
Nous devons partir avant quatorze heures – qu'est-ce que vous pouvez nous servir rapidement?

**Can we have coffee now please?**
Est-ce que nous pouvons prendre le café maintenant s'il vous plaît?

**Do you have any notepaper?**
Est-ce que vous avez du papier pour écrire?

**Do you sell stamps?**
Est-ce que vous vendez des timbres?

**Is there a telephone I can use?**
Est-ce qu'il y a un téléphone que je peux utiliser?

**Where are the toilets?**
Où sont les toilettes?

**We would like to continue our discussions after the meal; is there anywhere we can sit?**
Nous voudrions continuer de parler après le repas; est-ce qu'il y aurait un coin où nous pourrions nous asseoir?

## Meeting Your Guest

*See also* **Introductions, Meetings**

**Hello, nice to see you, will you sit down?**
Bonjour, je suis content(e) de vous voir, asseyez-vous je vous en prie

**I'm glad you could come**
Je suis content(e) que vous ayez pu venir

**Did you find the restaurant easily?**
Est-ce que vous avez facilement trouvé le restaurant?

**Did you manage to park easily?**
Est-ce que vous avez réussi à vous garer sans problème?

**Hello, I'm John Grayson**
Bonjour, je suis John Grayson

**What will you have?**
Qu'est-ce que vous prenez?

**Would you like a drink to start?**
Est-ce que vous prendrez l'apéritif?

**Would you like to order? Here's the menu**
Voulez-vous commander? Voici la carte

**I'm having . . . What do you fancy?**
Je vais prendre . . . Qu'est-ce qui vous tente?

**I can recommend the . . .**
Je vous recommande le . . . / la . . .

**This restaurant has a reputation for . . .**
Ce restaurant est réputé pour . . .

**Do you want wine?**
Est-ce que vous voulez du vin?

**Would you like a dessert? I'm having one**
Est-ce que vous voulez un dessert? Moi j'en prends un

**Would you like (another) coffee (and liqueurs) to follow?**
Voulez-vous un (autre) café (et une liqueur) après?

**Now shall we have a look at the proposal . . .?**
Bon, si nous examinions maintenant cette offre . . .?

## Being the Guest

**Hello, nice to see you again**
Bonjour, je suis heureux de vous revoir

**Pleased to meet you, Mr Salangre**
Enchanté (de faire votre connaissance), Monsieur Salangre

**Mr Salangre? John Grayson, pleased to meet you**
Monsieur Salangre? John Grayson, enchanté de faire votre connaissance

**It's a very nice restaurant. Have you been here before?**
C'est un restaurant très agréable. Vous êtes déjà venu ici?

**Can you recommend anything on the menu?**
Quel plat me recommandez-vous?

**Yes, I'd love a drink please**
Oui, je prendrais bien un verre merci

**No, no wine for me thank you. Can I have a mineral water with ice?**
Non, pas de vin pour moi merci. Est-ce que je peux avoir de l'eau minérale avec de la glace?

**Can I have a dessert?**
Est-ce que je peux avoir un dessert?

**Could I have a black / white coffee please?**
Est-ce que je pourrais avoir un café noir / café crème s'il vous plaît?

## Complaining

**This is not what I ordered**
Ce n'est pas ce que j'ai commandé

**I can't eat this, it's cold**
Je ne peux pas manger cela, c'est froid

**Waiter, we ordered 40 minutes ago. How long will our meal be?**
Garçon / Monsieur, nous avons passé commande il y a une demi-heure. Quand pensez-vous que ce sera prêt?

**I have to catch a plane at 2.30 pm – will our order be long?**
Mon vol est à quatorze heures trente – est-ce que nous serons bientôt servis?

**My guest has to be at a meeting in 30 minutes**
Mon invité doit se rendre à une réunion dans trente minutes

**There is no ice in my guest's drink**
Il n'y a pas de glace dans le verre de mon invité

**We are in a draught here. Can we move tables?**
Nous sommes en plein courant d'air. Est-ce que nous
pouvons changer de table?

**There is a mistake in the bill. We only had 2 drinks**
Il y a une erreur dans l'addition. Nous n'avons pris que
deux apéritifs

**We only had 1 bottle of wine**
Nous n'avons pris qu'une bouteille de vin

**We didn't have a dessert / liqueurs**
Nous n'avons pas pris de dessert / de liqueurs

## Paying

**Can I have the bill please?**
Est-ce que je peux avoir l'addition s'il vous plait?

**No, let me settle it**
Non, laissez-moi régler la note

**No, be my guest**
Non, c'est moi qui invite

**Can you make out the bill to my company please?**
Pouvez-vous mettre l'addition au nom de ma société s'il
vous plaît?

**Can I have a receipt please?**
Est-ce que je peux avoir un reçu s'il vous plaît?

**Does that include service?**
Est-ce que le service est compris?

**Which credit cards do you take?**
Quelles cartes de crédit acceptez-vous?

**Do you accept Euroexpress cards?**
Est-ce que vous acceptez la carte Euroexpress?

## Saying Goodbye

*to your guest*

**Well, as I've said, if there's anything else I can do, just give me a ring**
Eh bien, une fois encore, si je peux faire autre chose, appelez-moi

**If you need any more information don't hesitate to contact me**
Si vous avez besoin d'autres renseignements, n'hésitez pas à me contacter

**I'll give you a ring as soon as I get back to my office**
Je vous appellerai aussitôt que je serai de retour à mon bureau

**Did I give you my card?**
Est-ce que je vous ai donné ma carte?

**Goodbye, have a safe trip back**
Au revoir, et bon voyage pour le retour

**It was nice meeting you**
J'ai été heureux de vous rencontrer

**I look forward to meeting you again**
Au plaisir de nous revoir

**Well, I enjoyed our discussion**
Eh bien, j'ai été content de discuter avec vous

**I hope you enjoyed your meal**
J'espère que le repas vous a plu

**I hope we'll meet again soon**
A bientôt j'espère

*to your host*

**Thank you very much for the meal**
Je vous remercie pour cet excellent repas

**That was very worthwhile**
Cela a été très profitable

**I enjoyed that very much thank you**
Cela a été très agréable merci

**I'll be in touch**
Je vous contacterai

**I look forward to hearing from you soon about the project**
J'espère que j'aurai bientôt de vos nouvelles au sujet de ce projet

**Thank you very much for your hospitality**
Je vous remercie de votre hospitalité

# Telephoning, téléphoner

*see also Appointments, Arrangements, Booking,*
*Hotels . . .*

## Speaking to the Operator

**Hello, this is room number . . . Can you get me . . .?**
Allô, ici la chambre numéro . . . Est-ce que vous pouvez
me composer le . . .?

**I'm trying to phone . . . (number) . . . (country)**
J'essai d'avoir le . . . (numéro) au / en . . . (pays)

**Could you get me . . . (number) please?**
Je voudrais . . . (le . . .) s'il vous plaît

**I want to place a call to . . .**
Je voudrais appeler le . . .

**I want to make a person to person call to Mr / Ms X**
Je voudrais un communication avec préavis à l'intention
de Monsieur / Madame X

**I want to make an international call**
Je voudrais une communication pour l'étranger

**I want to make a transfer charge call to England**
Je voudrais appeler l'Angleterre en PCV

**Will you call me back?**
Est-ce que vous me rappellerez?

**Could you give me the number of . . . please?**
Est-ce que vous pouvez me donner le numéro de . . . s'il
vous plaît?

**What is the code for . . .?**
Quel est l'indicatif pour . . .?

**Can I dial . . . direct?**
Est-ce que je peux l'avoir directement?

**How do I get an outside line?**
Comment est-ce que je peux téléphoner à l'extérieur?

**I'm ringing from . . . What code do I dial to get . . .?**
Je téléphone de . . . Quel indicatif est-ce que je dois
composer pour avoir . . .?

## Giving Phone Numbers

> Today most public telephone numbers in France are
> made up of pairs of figures (48 73 06 77). They are usually
> read out in pairs (*quarante-huit soixante-treize . . .*).
>   Special dialling codes are read out in groups of two,
> three or, occasionally, four figures, as they are printed:
> (16 44) 876 347212 (*l'indicatif seize, quarante-quatre, huit
> cent soixante-seize*). Internal extension numbers will have
> three or four figures and are usually read out as single
> groups e.g. 362: *trois cent soixante-deux*, 5229: *cinq mille
> deux cent vingt-neuf*. When ringing Britain from France
> omit the 0 (*zéro*) from the beginning of any dialling code
> (e.g. 071 becomes 71: *l'indicatif soixante et onze*).
>   If you are not confident about reading out a phone
> number the simplest solution is to give each figure
> separately: '4 (*quatre*), 8 (*huit*), 7 (*sept*), 3 (*trois*), 0 (*zéro*),
> 6 (*six*), 7 (*sept*), 7 (*sept*)'. There is more advice on reading
> out numbers in **Figures**.

**My number is . . .**
Mon numéro est le . . .

**I'm on . . .**
Je suis au . . .

**My extension is . . .**
Mon poste est le . . .

**My direct line number is . . .**
Le numéro de ma ligne directe est . . .

**My car phone number is . . .**
Mon numéro de téléphone de voiture est le . . .

**My telephone number is / my fax number is . . .**
Mon numéro de téléphone est le . . . / mon numéro de
télécopie est le . . .

**It's a freephone, 0800 number**
C'est un numéro vert / numéro d'appel gratuit

**The STD code is . . .**
L'indicatif est . . .

## Spelling on the Telephone in French

**A** pour Anatole
[*ah poor anatoll*]

**B** pour Berthe
[*bay poor bert*]

**C** pour Célestin
[*say poor saylaystang*]

**D** pour Désiré
[*day poor dayzeeray*]

**E** pour Émile
[*euw poor aymeal*]

**F** pour François
[*eff poor frangswa*]

**G** pour Gaston
[*jay poor gasstong*]

**H** pour Henri
[*ash poor enree*]

**I** pour Irma
[*ee poor earma*]

**J** pour Joseph
[*jee poor jozeff*]

**K** pour Kléber
[*ka poor klaybear*]

**L** pour Louis
[*ell poor looee*]

**M** pour Marcel
[*emm poor marsell*]

**N** pour Nicolas
[*enn poor neekolah*]

**O** pour Oscar
[*oh poor osskar*]

**P** pour Pierre
[*pay poor peeair*]

**Q** pour Quintal
[*queue poor kantarl*]

**R** pour Raoul
[*err poor rowool*]

**S** pour Suzanne
[*ess poor sewzann*]

**T** pour Thérèse
[*tay poor tayrez*]

**U** pour Ursule
[*ew poor oorsewl*]

**V** pour Victor
[*vay poor viktor*]

**W** pour William
[*doobl vay poor william*]

**X** pour Xavier
[*icks poor ksaviay*]

**Y** pour Yvonne
[*ee grek poor eevonne*]

**Z** pour Zoé
[*zed poor zoay*]

## Problems

*a bad line*

**We were cut off**
On nous a coupés

**The line is very bad – I can hardly hear you**
La ligne est très mauvaise – je vous entends mal

**Can you hear me?**
Est-ce que vous m'entendez?

**Could you speak a little louder please?**
Pourriez-vous parler plus fort s'il vous plaît?

**I think we've got a crossed line**
Je crois qu'il y a quelqu'un d'autre sur la ligne

**Hello? Oh, I thought we'd been cut off**
Allô? Ah, je croyais que nous avions été coupés

**Sorry, we were cut off**
Désolé, nous avons été coupés

**My number is . . .**
Mon numéro (de téléphone) est le . . .

**My extension is number . . .**
Mon poste est le . . .

**I'm trying to get through to . . . but I can't get a ringing tone**
J'essaie d'avoir le . . . mais je n'arrive pas à avoir la tonalité

**Can you check the number for me please?**
Est-ce que vous pouvez vérifier le numéro s'il vous plaît?

**Can you check the line please?**
Pouvez-vous vérifier la ligne s'il vous plaît?

**I've been trying to ring . . . Can you tell me whether I've got the right number and code please?**
J'ai essayé d'appeler le . . . Est-ce que vous pouvez me dire si c'est le bon numéro et le bon indicatif s'il vous plaît?

**Could you reconnect me please?**
Pourriez-vous rétablir la communication s'il vous plaît?

**The telephone booth is out of order**
La cabine téléphonique est en dérangement

*comprehension difficulties*

**Do you speak English?**
Est-ce que vous parlez anglais?

**What's the name?**
Quel nom dites-vous?

**Could you repeat the name please?**
Est-ce que vous pourriez répéter le nom s'il vous plaît?

**Can you spell the name please?**
Est-ce que vous pouvez épeler le nom s'il vous plaît?

**With a P or a B? With a J or a G?**
Avec un [pay] ou un [bay]? Avec un [jee] on un [jay]?

**Sorry, I didn't catch your name**
Excusez-moi, je n'ai pas bien entendu votre nom

**Sorry, I didn't understand. Could you repeat?**
Pardon, je n'ai pas compris. Voulez-vous répéter?

**Could you speak more slowly please?**
Est-ce que vous pourriez parler plus lentement s'il vous plaît?

**Can you hold on please? I'll pass you on to someone who speaks French better than me**
Ne quittez pas, je vais vous passer quelqu'un qui parle français mieux que moi

## Questions and Replies from the Operator / Switchboard

**Number please**
Quel numéro voulez-vous?

**What number do you want?**
Quel numéro demandez-vous?

**I'm trying to connect you**
J'essaie d'obtenir la communication / j'essaie de vous mettre en ligne

**I'm sorry, there are no lines free at the moment**
Je suis désolé mais il n'y a pas de lignes libres pour
l'instant

**The line is engaged**
La ligne est occupée

**I'm afraid all the lines are busy at the moment**
Malheureusement toutes les lignes sont occupées

**I'll try again later for you**
Je vais encore essayer

**It's ringing for you now**
Ça sonne

**Hold the line please**
Ne quittez pas

**Will you hold?**
Vous restez en ligne?

**There is no reply**
Ça ne répond pas

**Will you still hold?**
Vous restez toujours en ligne?

**What number are you trying to dial please?**
Quel numéro essayez-vous d'avoir?

**What number are you calling from please?**
D'où appelez-vous?

**Could you repeat the number please?**
Vous voulez répéter le numéro s'il vous plaît?

**What is your extension?**
Quel est le numéro de votre poste?

**You can dial that number direct**
C'est automatique

**I'll give you a line. Wait for the dialling tone and then dial the number**
Il y a une ligne disponible. Attendez la tonalité et composez le numéro

**I'll try the number for you**
Je vais essayer de vous avoir la communication

**Go ahead caller!**
Vous êtes en ligne!

**The number is ex-directory**
Le numéro est sur la liste rouge

**Check the number you want to call**
Vérifiez le numéro que vous voulez appeler

**This number is no longer in service**
Le numéro n'existe plus

**Put the receiver down and I will call you back shortly**
Raccrochez, je vous rappelle dans un instant

**The line is out of order**
La ligne est en dérangement

**Hold the line please / will you hold, caller?**
Ne quittez pas / vous voulez rester en ligne?

**It's still engaged**
Cela sonne toujours occupé

**There is no reply**
Ça ne répond pas

## The Number Replies

**Priestly Consultants, how can I help you?**
Priestly Consultants, à votre service

**Hello, this is . . . How can I help you?**
Allô, ici . . . Qu'est-ce que je peux pour vous?

**48 42 56 86, hello?**
Le quarante-huit, quarante-deux, cinquante-six, quatre
vingt-six, allô?

**Simonet speaking**
Simonet à l'appareil

**Hello, yes? (private number)**
Allô, oui? (chez un particulier)

### recorded messages

**XYZ Plc, I am sorry that there is no-one here to take
your call at the moment. If you would like to leave a
message please speak after the tone**
La société XYZ, je suis désolé d'être absent en ce
moment; si vous voulez laisser un message, veuillez
l'enregistrer après la tonalité

**Please record your message after the tone and I will
ring you back when I return**
Veuillez enregistrer votre message après la tonalité et je
vous rappellerai dès mon retour

### a wrong number

**Is that Mr Stuart speaking?**
C'est bien Monsieur Stuart?

**No, I think you must have the wrong number**
Non, je crois que vous n'avez pas le bon numéro

**Oh, I'm sorry, I think I must have misdialled**
Oh, excusez-moi, j'ai dû faire le mauvais numéro

**What number are you calling / what number are you trying to dial?**
Quel numéro appelez-vous / quel numéro essayez-vous d'appeler?

**Who did you want to speak to?**
A qui voulez-vous parler?

**Oh, he's not with us any more**
Ah, il ne travaille plus ici

**She's moved to ...**
Elle est partie à ...

**She's on extension 6845 now, I'll try to transfer you**
Son poste est maintenant le six mille huit cent quarante-cinq, je vais essayer de vous mettre en communication

**There must be a mistake**
Il y a certainement erreur

**This is not the right department**
Ce n'est pas le service qu'il vous faut

**If you'll hold on, I'll transfer you to the right person**
Ne quittez pas, je vais vous passer la personne qu'il vous faut

## Getting Through to Your Contact

**Could I speak to Ms Pflanz please?**
Je voudrais parler à Madame Pflanz s'il vous plaît

**I'd like the ... department please**
Je voudrais le service des ... s'il vous plaît

**Could you put me through to Mr Gerrard / the . . .
department / the person in charge of . . . please?**
Pourriez-vous me passer Monsieur Gerrard / le service
de . . . / le responsable de . . . s'il vous plaît?

**I'm returning Ms Patti's call. She tried to ring me a
little while ago**
Madame Patti a essayé de me joindre il y a quelques
instants et je la rappelle

**Extension 2564 please**
Je voudrais le poste deux mille cinq cent soixante-quatre
s'il vous plaît

**The line is busy, would you like to hold?**
La ligne est occupée, voulez-vous patienter?

**Yes, I'll hold**
Oui, je vais patienter un instant

**Do you still want to hold?**
Voulez-vous patienter un peu plus?

**No thank you, I'll call back later**
Non merci, je rappellerai plus tard

**Who shall I say is calling?**
C'est de la part de qui?

**What's it in connection with?**
C'est à quel sujet?

**Hold on, I'll put you through to him / her**
Ne quittez pas, je vous le / la passe

## The Person You Want is Not Available

**I'm sorry, she's not in today**
Je regrette mais elle n'est pas là aujourd'hui

**Mr Dupont is busy at the moment**
Monsieur Dupont est occupé en ce moment

**He's not available**
Il n'est pas disponible

**He's / she's . . .**
Il / elle est . . .

- **in a meeting / in conference**
- en réunion / en conférence

- **away on business**
- en déplacement

- **on holiday / ill / not at his / her desk**
- en vacances / souffrant(e) / il / elle n'est pas à son bureau

**Would you like to leave a message?**
Est-ce que vous voulez laisser un message?

**Can I take a message?**
Est-ce que je peux prendre un message?

**Could you ask him to ring me back?**
Est-ce que vous pourriez lui demander de me rappeler?

**When would be a good time to ring / to catch him?**
Quel serait le meilleur moment pour rappeler / pour le trouver?

## Starting a Conversation

**I'm phoning from London**
Je téléphone de Londres

**I'm ringing on behalf of . . .**
Je téléphone de la part de . . .

**Mr Brown asked me to ring you**
Monsieur Brown m'a demandé de vous appeler

**Mr Brown suggested that I ring you**
Monsieur Brown a suggéré que je vous appelle

**I'm taking the liberty of phoning you about . . .**
Je me permets de vous téléphoner au sujet de . . .

**I'm ringing in connection with . . .**
Je vous appelle au sujet de . . .

**My name is . . . I don't know if you remember, we met last week**
Je m'appelle . . . Je ne sais pas si vous vous souvenez mais nous nous sommes vus la semaine dernière

**I was given your number by Mr Claris**
Monsieur Claris m'a donné votre numéro

**Ms Sully advised me to contact you**
Madame Sully m'a conseillé de vous contacter

**I've been told you are the right person to contact**
On m'a dit que vous étiez la personne à contacter

**Perhaps you could help me . . .**
Vous pouvez peut-être m'aider . . .

**I hope I'm not disturbing you**
J'espère que je ne vous dérange pas

**I'm sorry to disturb you**
Je suis désolé de vous déranger

**I hope it's not too late**
J'espère qu'il n'est pas trop tard

**I've received your letter about . . .**
J'ai reçu votre courrier concernant . . .

**We spoke on the telephone yesterday**
Nous nous sommes parlé au téléphone hier

## The Object of the Call

*making or cancelling an appointment*

**I'd like to make an appointment with Mr . . .**
Je voudrais prendre rendez-vous avec Monsieur . . .

**I have an appointment with Ms . . . at 3 pm and I won't
be able to be there then**
J'ai rendez-vous avec Madame . . . à quinze heures mais
je ne pourrais pas m'y rendre

**I'm calling to cancel the appointment for 11 am today**
Je vous appelle pour annuler mon rendez-vous à onze
heures aujourd'hui
*See also* **Appointments**

*making a booking*

**I'd like to book a room please**
Je voudrais réserver une chambre s'il vous plaît

**I'd like to reserve a table for 6 people for tomorrow
evening please, in the name of Peters**
Je voudrais réserver une table pour six personnes, pour
demain soir, au nom de Peters

**I'd like a taxi at 3 pm please. It's to go to . . .**
Je voudrais un taxi à quinze heures s'il vous plaît. C'est
pour aller à . . .
*See also* **Booking, Hotels**

*making enquiries*

**What time do you close?**
A quelle heure fermez-vous?

**Are you open on Saturdays?**
Etes-vous ouvert le samedi?

**Is it still possible to reserve a seat for . . .?**
Est-ce qu'il est encore possible de réserver une place
pour . . .?
*See also* **Booking**

## Some Useful Words During the Conversation

**Certainly**
Certainement

**All right, OK**
Entendu, d'accord, OK

**Yes**
Oui

**Yes, I've made a note of it**
Oui, c'est noté

**Sorry, I didn't catch that**
Excusez-moi, je n'ai pas bien saisi

**Perhaps**
Peut-être

**It's possible**
C'est possible

**Exactly**
C'est cela même

**Agreed / understood**
Entendu

**I understand**
Je comprends

**I certainly think so**
Je le crois bien

**Possibly**
C'est possible

## Ending the Conversation

**I think that's everything, thank you very much**
Je pense que nous en avons fini, je vous remercie

**So, I'll meet you on the . . . at . . .**
Alors, je vous verrai le . . . à . . .

**Fine, . . .**
Bien, . . .

**All right / I agree**
D'accord

**So we're saying . . .**
Nous disons donc . . .

**Thank you very much for your help**
Vous avez été très aimable, je vous remercie

**Thank you very much for the information**
Je vous remercie pour ces renseignements

**Thank you for calling**
Merci d'avoir appelé

**Until next Monday then,**
Alors, à lundi prochain . . .

**That's it, goodbye Ms . . .**
C'est cela, au revoir Madame . . .

# Tours, visites

*see also Describing, Directions, Meetings*

## Meeting the Visitors

**Good morning / Good afternoon, welcome to Grafton Plc**
Bonjour, bienvenue à Grafton Plc

**My name is Patricia Sutton. I am a manager with the company / I am responsible for public relations**
Je m'appelle Patricia Sutton. Je suis directeur (-rice) de la société / je suis chargée des relations publiques

**I will be showing you our office complex / plant**
Je vais vous faire visiter nos bureaux / notre usine

**First of all let me tell you a little about our company**
Je voudrais d'abord vous donner quelques renseignements sur notre société

**Grafton Plc was founded in 1956**
Grafton Plc a été créée en mille neuf cent cinquante-six

**. . . and was a maker of . . .**
. . . et fabriquait . . .

**. . . and was active in . . .**
. . . avait des activités dans . . .

**The company grew and moved into . . . / was taken over by . . . / moved to this site in 19—**
La société a grandi et s'est engagée dans . . . / a été reprise par . . . / s'est installée ici en mille neuf cent . . .

**Now we are a leading manufacturer of . . . / a leading
supplier of . . .**
Nous sommes maintenant l'un des plus grands
fabricants de . . . / l'un des plus grands fournisseurs
de . . .

**Let me give you a copy of this folder, which
summarises our activities and corporate philosophy**
Permettez-moi de vous donner ce dossier qui résume
nos activités et la philosophie de notre société
*See also* **Describing**

## An Overview of the Site

**If you'd come this way please . . .**
Si vous voulez venir par ici s'il vous plaît . . .

**This plan shows the layout of the site**
La disposition du site est indiquée sur ce plan

**On this model you can see the main parts of the
complex**
Vous voyez les grandes sections du complexe sur cette
maquette

**This is the . . . building and this is the main production
area**
Voici le bâtiment de . . . et c'est ici que se fait le gros de la
production

**Most of the production takes place here. Materials are
stored here and the finished product is stored over
here until despatch**
La plus grande partie de la production est effectuée ici.
Les matières premières sont stockées ici et le produit fini
là-bas, jusqu'à l'expédition

**Raw materials / sub components come in here, and assembly takes place here**
Nous recevons les matières premières / les sous composants ici, et c'est ici que se fait le montage

**Finished items are stored here and despatched by lorry**
Les produits finis sont stockés ici et expédiés par camion

**Our quality circle meets every Friday morning**
Notre cercle de qualité se réunit tous les vendredis matins

**The main office is here. The heart of the computer system is here but of course data is backed up and stored in other locations**
Le bureaux principal est ici. Le centre du système informatique est ici mais les données sont évidemment sauvegardées et stockées ailleurs

**The tall building is . . . The other buildings house . . .**
Le grand bâtiment est . . . Les autres bâtiments abritent . . .

**The large tanks are used for . . .**
Les grands réservoirs sont utilisés pour . . .

**We are proud of . . .**
Nous sommes fiers des . . .

**It's an open plan system with a central meeting area and separate rooms for board meetings and meetings with clients**
C'est un bureau paysage avec une partie centrale pour les réunions et des salles individuelles pour les réunions du conseil d'administration et pour les rencontres avec les clients

**Now, if you'd follow me please, I'll take you to the . . .
building**
Si vous voulez bien me suivre s'il vous plaît, je vous
emmène au bâtiment de . . .

**This is the . . . building, where . . . (the . . . process)
takes place**
Voici le bâtiment de . . ., où s'effectue . . . (le procédé
de . . .)

**Now we're in the . . . On your right you can see . . ., on
your left there is . . .**
Nous sommes maintenant dans le . . . À votre droite vous
voyez . . ., à votre gauche il y a . . .

**In front of us we have . . . and behind there is . . .**
Devant nous, nous avons . . . et derrière il y a . . .

**Now, if we go over here I will be able to show you . . .**
Bon, allons là-bas et je vous montrerai . . .

**Would you like to follow me . . .?**
Si vous voulez bien me suivre . . .?

**This is the first floor, where we process data from . . .**
Voici le premier étage. C'est là où nous traitons les
données que nous recevons de . . .
*See also* **Computers**

**The suite of rooms at the end of the corridor is used
mainly for training and is equipped with the most
advanced systems of computer based training**
Les salles situées au fond du couloir sont surtout
utilisées pour la formation. Elles sont dotées des tout
derniers systèmes de formation assistée par ordinateur

**This is where we assess market intelligence**
C'est ici où nous évaluons les informations relatives au
marché

**This is the board room**
Voici la salle de conseil

**Now, if we go this way, I think there will be a drink for
you**
Allons par là – je crois qu'on vous a préparé quelque
chose à boire

**Thank you for coming. I hope you have found your
visit interesting**
Merci d'être venus. J'espère que la visite vous a
intéressés

**If there is any other information you would like about
us, don't hesitate to contact me, Patricia Sutton. Here is
my card**
Si vous désirez d'autres renseignements à notre sujet,
n'hésitez pas à me contacter, Patricia Sutton. Voici ma
carte

# Travel, voyages

*see also Booking, Directions, Hotels*

## Public Transport

**Can you tell me if there is a flight for . . .?**
Pouvez-vous me dire s'il y a un vol à destination de . . .?

**Can you tell me when the next train / flight for . . .
leaves?**
Pouvez-vous me dire à quelle heure est le prochain
train / vol pour . . .?

**I want to reserve a seat on the 17.06 train to . . . please**
Je voudrais réserver une place dans le train de dix-sept
heures six pour . . . s'il vous plaît

**Do I have to change?**
Est-ce que je dois changer?

**Is this where you change for . . .?**
Est-ce que c'est là où je change pour . . .?

**Is there a connection for . . .?**
Est-ce qu'il y a une correspondance pour . . .?

**Is there a connecting flight for . . .?**
Est-ce qu'il y a un vol de correspondance pour . . .?

**When do I have to check in my bags for the flight
for . . .?**
Quand est-ce que je dois me présenter pour faire
enregistrer mes bagages pour le vol à destination de . . .?

**How often are the flights / trains / ferries to . . .?**
Quelle est la fréquence des vols / trains / ferries pour . . .?

**Non smoker please**
Non fumeurs s'il vous plaît

**I'd like a first class / second class ticket**
Je voudrais un billet de première / seconde classe

**Which terminal does the flight for . . . leave from?**
De quel terminal le vol pour . . . part-il?

**. . . it's the Delta Airways flight to . . .**
. . . c'est le vol Delta Airways pour . . .

**Can I reserve a seat for . . .?**
Est-ce que je peux réserver une place pour . . .?

**Can I have a single for . . .?**
Est-ce que je peux avoir un aller simple pour . . .?

**I would like a return to . . . please**
Je voudrais un aller-retour pour . . . s'il vous plaît

**Which platform does the train for . . . leave from?**
De quel quai le train pour . . . part-il?

**What's the best way to get from the station to the centre of town?**
Quel est le meilleur moyen pour aller de la gare au centre ville?

**Is there a shuttle service to town / to the terminal?**
Est-ce qu'il y a une navette pour aller en ville / au terminal?

**How long does the journey / the flight take?**
Quelle est la durée du voyage / du vol?

**What time should we arrive at . . . (the destination)?**
A quelle heure devrait-on arriver à . . . (destination)?

## Car Hire

**I want to hire a car to go to . . .**
Je voudrais louer une voiture pour aller à . . .

**Where can I hire a car to go to . . .?**
Où est-ce que je peux louer une voiture pour aller à . . .?

**It'll be a one-way hire. I want to leave the car at . . .**
Je veux louer ici mais laisser la voiture à . . .

**I want to leave the car at . . . (station / airport / hotel)**
Je voudrais laisser la voiture à . . . (gare / aéroport / hôtel)

**Where can I leave the car?**
Où est-ce que je peux laisser la voiture?

**I will be returning the car on 17 October**
Je rendrai la voiture le dix-sept octobre

**Is that the rate for unlimited mileage?**
Est-ce que c'est le tarif pour un kilométrage illimité?

**Is there an extra charge for mileage?**
Est-ce qu'il y a un supplément pour le kilométrage effectué?

**What makes of car do you have available?**
Quelles sont les marques de voiture disponibles?

**I want an estate car / an automatic**
Je voudrais une familiale / une automatique

**I don't want a diesel car**
Je ne veux pas une diesel

## Problems

**Is the train / flight late?**
Est-ce que le train / le vol est en retard?

**Is there a delay on flights to . . .?**
Est-ce que les vols pour . . . sont retardés?

**Why is there a delay?**
Quelle est la raison du retard?

**I've lost my ticket**
J'ai perdu mon billet

**I didn't use this ticket and would like to . . .**
Je n'ai pas voyagé avec ce billet et je voudrais . . .

**My flight / ferry / train to . . . has been cancelled. When is the next one?**
Mon vol / ferry / train pour . . . a été annulé. Quand y aura-t-il un autre départ?

**Is this where we change for . . .?**
Est-ce que c'est ici que l'on prend la correspondance pour . . .?

**I've missed my connection to . . . Can you tell me when the next one leaves please?**
J'ai manqué ma correspondance pour . . . Pouvez-vous me dire à quelle heure part la prochaine?

**My flight has been cancelled. Can you reserve a seat on the next available flight please?**
Mon vol a été annulé. Pouvez-vous me réserver une place sur le prochain vol s'il vous plaît?

**. . . can you book me into a hotel / can you recommend a hotel for the night?**
. . . est-ce que vous pouvez me réserver une chambre dans un hôtel / me recommander un hôtel pour la nuit?

**I asked for a seat in the smokers' section**
J'ai demandé une place dans la partie fumeurs

**I'd booked this seat**
J'avais réservé cette place

**I have a reservation**
J'ai une réservation

**Some of my luggage is missing**
Je n'ai pas eu une partie de mes bagages

**I think I'm on the wrong train – can you help me?**
Je crois que je ne suis pas dans le bon train – est-ce que vous pouvez m'aider?

**My name is . . . I hired a car from you; its registration number is . . .**
Je m'appelle . . . J'ai loué une voiture chez vous; le numéro d'immatriculation est le . . .
*See also* **Figures**

**The car I hired from you has been involved in an accident**
J'ai eu un accident avec la voiture que j'ai louée chez vous

**The car I hired from you has been stolen**
La voiture que j'ai louée chez vous a été volée

**. . . I have informed the police at . . .**
. . . j'ai informé la police de . . .

**. . . it has broken down at . . .**
. . . elle est tombée en panne à . . .
*See also* **Accidents**

**N O T E S**

**N O T E S**

**N O T E S**

**NOTES**

**N O T E S**

**NOTES**